九
居

일러두기

1 — 이 시집의 원문은 저자의 수정修正과 가필을 거쳤다.

2 — 원문에서 한자로만 표기되었던 글자에는 음을 병기하였으며,
    의미 소통에 문제가 없는 부분은 한글로 바꾸었다.

3 — 한글 맞춤법, 외래어 표기법에 맞지 않는 부분들은
    저자의 의도를 최대한 살리는 것은 원칙으로 삼되 약간의 수정을 거쳤다.

4 — 본문 중의 •표는 독자들의 작품 이해를 돕기 위해 편집자가 가려 뽑아
    일일이 그 내용을 찾거나 번역하여 책 끝에 부기附記한 '편집자 주' 이다.

김구용 문학 전집

金丘庸 ④

—— 연작장시

九居

솔

九品 구거

『구거』중「4거四居」의 16 저자 친필 원고 ▶

밤 흘렀대 길도 지났건만

塞波가 기승을 부린다.

식구들이 果樹들은

보료 느라고 밤잠을 못 잔다.

人情은 흘러 흘러

水平線으로 나르나 지만 참아 올라가듯이

노호은 산은 蘆產하 엿고.

10×20

九
居

# 1거─居

**1**

있음은 말씀을 하기
위해서 듣는다.
없음은 말씀을 하기
위해서 듣는다.

여기는
그녀를 처음으로 알았던 집이다.
마음은
무슨 일도 할 수 있었다.

착한 눈으로 보아줍시오.
너의 세계에 그녀가 있듯이
누구나 자기 세계가
있어서 소통疎通하였다.

가지가지로 지속한다.

위로하는 거리距離는

아이들을 위해서는

앞으로 무엇을 할까.


그녀를 위해서는

앞으로 무엇을 할까.

생각은 마음대로이기에

무엇이나 한다.


하늘같은 해석으로

산다는 곳도 다녀왔다.

저마다 특성이 있어

서로가 돕는 이익을 어디서나 본다.


애정과 적막에 관한 한

진실로 애쓰는 모습들이다.

나날이 욕구만큼 갚아서

장바구니만큼 얻은 내용이었다.



**2**

그 동안 소식이 궁금하던 날

어린이 놀이터에서

잠시 나를 잊었더니

시가市街는 점점 새로웠다.


오해를 받았을 때는

오해한 이가 생각나서

기대했을 때는

기대한 이가 생각나서


그러다가 언제부터인지

수시로 나마저 잃어서

음악 풍경에

내가 있었다.


몰랐던 일을 상상도 못했던 작용으로

알았다고 하자.

그러나 그러기 이전에도

내가 있었음을 안다.


그런 뒤로 심심하면

간혹 나는 없어져,

미싯가루를 물 타는

그녀 곁에서 내가 쉬고 있었다.

이러히 연습 삼아
시간의 안팎으로 드나들다가
산책하기에 이르렀으니
거듭 부정한 긍정이라구나 할까.

비가 오네요.
귀기울여 들어보세요.
모양과 색깔은 각각이지만
하나하나가 빛나네요.


**3**

오랜만이군요.
뿌리로부터 태어나서
잎들은 눈을 깜박이며
의사를 교환한다.

눈 한 번 깜박 사이의
영원이 있다면
허무한 순간에도

존재하는 것


흙만한 구분區分이 있어
이웃들과 함께 산다.
생각은 어디나 있어
머나먼 상황이 보도된다.


침묵으로써 듣는다.
말씀 없이도 전한다.
지나친 욕망과 심한 실망으로
문자들이 계속 아우성칠 때


부족한 한
의욕만큼 줄여서
베풀어진
하늘은 무엇일까.


강요하는 피해가 아니기에
한 티끌[塵]은 각기 수작手作한다.
동시同時가 다르다면
평등이었을까.

네가 찾은 곳은 집이다.

자연보다 좋은 데가 있는지요.

해가 충만하듯이 단 하나

푸른 사과가 매달린 뜨락이다.


4

누리에

합의合意를 뿌려

별들이 눈을 깜박이는

악사樂士들


보는 만큼 준다.

그러니 받으십시오,

빛나는 목소리들을.

알 수 없는 빛남을 받으십시오.


버리면서 계속하는

발전發電으로 회복한다면

있음과 없음이

작용하는 것.

개성을 자립하기 위해서는

피차彼此를 수호한다.

취미를 살리기 위해서는

절약을 보호한다.


믿음만이 아는 것

소리[音]의 눈[眼]은

반응을 살피느라

교통交通은 복잡하였다.


예고豫告에서

그녀는 고마웠다.

중심가에서도 만남은 덕성德性스러웠다.

허름한 외식外食이나마 정다웠다.


그러나 잡히지 않는 활동으로서

바람이 실수失手를 쓸어버리는 밤에

너는 잠을 이루지 못한다.

보이지 않는 바깥을 체험한다.

**5**

어디에나 있었다.
고금古今이 마찬가지인 자연自然에서
아이들은 계속 달려나와
처음 보는 얼굴들이다.

그럴 때마다
육체의 하늘로서
공중의 눈[眼]은
굽어본다.

이익이란 돕는 일이라는데
알다가도 모를 냉해冷害요
소식小食해야 오래 산다는데
알다가도 모를 사고事故였다.

그가 심심할 때 듣는 카세트는
맨 첫번째로 친 에밀레 종소리
아인슈타인 박사의 바이어린소리요
나폴레옹의 시 낭독 소리였다.

무거움이 줄어들거나

키가 자라거나 간에

찾는 나날은

찾은 나날이라서


옛날의 일 년은

오늘날의 일 초이지만

누구에게나 일생은

시간이 같았다.


모르면 의심하기에

믿어서 알기까지

빌[虛]수록 차[滿]서는

미래를 떠올린다.



6

안녕하세요

기억만으로도 반가워요.

말씀은

작년과 내년을 넘나든다.


그가 청請하는 그녀의 청

그녀가 부탁하는 그의 부탁
세상은 불행을 싫어한다.
지속하려고들 일상은 바뀐다.

밤에 오는 흰 사슴[鹿]은
웃는 연꽃,
활동을 위해서
뿌리는 안정하였다.

생각을 현실화하여
맹수들을 길들여서
빨래 조각들 사이로
나무들은 속삭인다.

찾아왔다.
옛날의 나처럼 집이 없느냐.
옛날의 나처럼 배가 고프냐.
앞서거라, 가서 보자.

방은 좁지만 모여들 있네.
각기 다른 것들이 모여 있네.
이것도 저것도 애쓴 덕이요

저것도 이것도 정다운 복이로구나.


**7**

빛과 그림자는
형편 따라 하기에
추측할 수가 없지만
보면 누구나가 알 수 있는 일


뿌리가 빨아들이고 난
여분은 흘러서
그의 목소리요,
돌아온 입구入口였다.


과거는 여러 가지 재료니
맨손으로 보여주마.
심심하면 외계의 생물들이
그의 방을 다녀서 간다.


약초를 가꾸어
순간마다 인삼이다.
부모님을 생각하면

언제나 부모님은 계신다.


가능의 추구追求와
정신의 기다림에서
시간에서 벗어난 문조文鳥는
시간만한 문조.


몸을 피해서 다닌다.
휴식하는 음악으로
보드라운 향기로
조용한 촉감으로.



**8**

달리는 차창이 다양성으로
차이를 벗어난다.
그녀를 위해서 나는
그녀의 소망을 받아들인다.


가난과 위반違反은
그들을 교화한다.
산 위의 종교와 산 아래 마을은

숨쉬는 곳마다 함께 있었다.


허공에서 땅덩어리가 생겨났듯이
모르는 데서 생명이 태어났듯이
알아야 할 자기 자신이기에
그들은 세상을 서로 비친다.


배워서 안 만큼
모르는 일을 알아서
없는 본질을
깨달은 눈맞춤일세.


일순一瞬의 바다는
공연히 광란하여
공연히 탐닉하여
사지四肢를 미화美化한다.


당신은 당신이 아니기에
목소리는 세계요,
막히는 것이 없어서
간혹 수송輸送은 충돌하였다.

9

처음 읽는 책들 같지가 않아

보는 이마다 전에 보았던 분 같아

언제 어디서였더라,

기억이 나지 않을 정도로 확실했다.


없는 데서 생긴 평등

떠나서는 없는 공평,

시간은 시내市內에 모여들어

도우면서 각기 달랐다.


섭상攝相이 섭화攝化하는

나날의 말씀,

당신의 노래를

그는 못 알아듣는가.


당신은 어디나 있지만

그는 못 알아보는가.

무더운 날에는 시원히

겨울에는 따뜻이 나타나건만.


지체 장애아를 위해서

너는 욕망을 구한다.
서로 따르며 따르다가
생각마다 벗어나다가.


나는 한 번만
보아도 기억하는
나[我]를 비워서
상대를 믿는다.



**10**
오늘이 며칠인가.
문을 들어서거나 나오거나
시간은 흐르면서
말씀을 한다.


뵈옵고 싶으면
눈은 노작勞作들을 본다.
차별 때문에
선생은 차별이 없었다.


한평생의 저서著書는

선생의 무한無限이다.
천하가 시끄러워도
빛은 평등하였다.

다르지 않지만
그렇다고 하나만도 아니니
태양은 하나지만
듣는 사람은 각기 달라서.

가지가지 역사들도
선생의 붓끝은 유통流通시켜
차질差質을 알아서
평화를 모았다.

원고지는 세계를 이루어
감사하는 행동은
베푸는 은혜라
서로들 순환한다.


11
손때 절은 책을 펴 본다.

좁은 방안에 동서고금이
모였기는 마찬가지다.
어디서 살건 읽고 깨닫다 보면

평생이 저자著者들과는 친숙한 사이
만나고 싶어도 볼 수가 없어
친필親筆이 있으면 벽에 걸어놓는다.
말은 같으나 뜻은 다 다르듯

문자는 같으나 필적筆蹟은 각기 달라서
보고 싶던 저자와 만난다.
동서고금을 산책하면서
피곤한 보람은 부족한 보람이었다.

글귀가 좋던가 글씨가 마음에 들면
옛 필자 미상未詳과도 오락가락한다.
잃어버린 즐거움을 유지하는 일이요
자랑이 없으면 아낀다구나 할까.


**12**

산들바람에 시제時制도 무너져

이슬비에 원칙原則도 결이 삭아

나를 아는 계절을 알아서

잡목림 사잇길을 거닌다.


거듭 변신하는 누에고치를 본다.

하늘이 움직여

정적을 듣는다.

선착장은 나아간다.


거듭한 되풀이로서

그 동안 익힌 일이

뜻대로 잘 안 되다가도

시장에 들르면 누구나 가족이었다.


세상이

살림살이를 동서東西로 본다.

집집마다 아이들이 있어

넉넉한 나날,


나라 없이 태어났다가

분단된 채 늙음이

젊음들을 개방하여

세계가 믿음을 회복한 날이다.


**13**

충분한 무심無心은

무한한 충만,

눈보라가 외쳐도

바다 안은 고요하였다.


내각內角의 역광力光과 광력光力의 외방外方은

화음和音하여 터서 보인다.

가슴은 허공이라서

허공만한 가슴이 연주演奏한다.


혼자가 아닌 만큼 유동적인 것

그러한 사이가 세계였다.

근심 걱정 없이는 해결 못하듯

오차誤差가 고장故障을 치료하는 곳


목숨과 항공 폭발이

어떻게 다른가를 본다.

지난날들로 오는 날을

계산하는 계절풍이 분다.

이러냐 저러냐의
허점虛点이 아니라,
고저 장단高低長短은 대화의 자리요,
그와 그녀의 생활이었다.


**14**
결함을 보장保障하는
효율效率로서,
때로는 겸허하게
밤에 편지를 쓴다.

잎사귀들이 오염을 씻어낼까.
우중충한 지하 다방에서도
비오는 농촌을 이야기한다.
다소나마 답답증이 풀릴 것이다.

공간의 속삭임은
학생들을 가르치던 기억을 지나
사라지는 공간은

조림造林된 다음 세대에 이른다.


나날이 그날이건만
시간은 가지가지 모양이었다.
소식에 의하면 기러기들 가족이
날아서 통과했다니 반갑다.


결말이 없어
다시 전환점을 듣는다.
시작이 없어
생각은 실현하였다.



**15**

본의 아니게 마소서.
"너무 염려 마십시오."
비에 젖는 나무들로
의심은 사라진다.


외국어와 결혼한다기에
주례사를 메모 중이다.
글쎄, 아는 한

맛난 음식은 소금이었지.


과학은 종교나 아닌지,
세미나에 참석하였다가
아내가 경영하는 가게로 간다.
"그날이 무슨 요일이라드라."


알 수가 없으므로 믿는다.
그와 아내는 남남이기에
둘은 분명한 하나였다.
함께 집으로 돌아온다.


지붕마다 대보름 달이구나,
별마다 부호符號일세.
허다한 혼란을 겪지 않았던들
어찌 찬송하였으리오.


순간의 삼세三世는
삼생三生의 계속,
오지도 떠나지도 않아서
내일은 가득하였다.

**16**

말씀은

바로 비켜서서

분노하거나

모독하지 않는다.


재미없는 화제와

전혀 다른 이야기와

이해하기 어려운

믿음을 주로 말한다.


그래 어느 곳 새잎일까.

머나먼 돌[石]이여,

없는 눈[眼]에

생필품들을 보여주마.


사막沙漠은 녹화綠化하였다.

희생이란 무슨 가능인가.

거리距離가 없는 시간을 달린다.

안락安樂 아파트는 관리비가 좀 비쌌다.


복지福祉를 위한 등차等差와

휴식을 위한 계층階層은
시간의 발산發散이요
천동天動소리였다.

그녀가 보호를 바라느니
그가 실패를 바라겠는가.
어떻게 만들었을까.
아이에게 날개를 달아준다.


**17**

불행한 곳을 탐방하면
외로움도 사라진다.
사건을 취재하다가 보면
사랑이란 뜻도 되새긴다.

언젠가는 부모님을 떠나게 마련이다.
제자는 제자들을 두었다.
허나 글[文]은 물질이어서
흡족할 줄을 몰랐다.

잘 모른다니 말하마.

백제 사나이 정지원鄭智遠의

아내 조사경趙思敬은

고구려 태생이었다.


그러다가 그는

잃은 아내를 잊지 못하여

소원대로 조성造成해서

부처님의 없는 말씀을 듣는다네.


서로가 변동하면서

아끼는 분신分身들,

시점時點은 텅 비어

성능性能은 성운星雲하였다.


생명의 소득인

신뢰의 수익收益과

공익公益은 겸손한다.

"내일 이 시간에 만납시다."



**18**

직접 만나

말 좀 합시다.
서로가 좋도록 기다리며
통사정합시다.

"그럴 시간이 없지만
어디 시간을 내어보겠어요."
그녀와 함께 영화를 본다.
함께 시간으로 들어간다.

소박한 힘과
참는 흐뭇은
허공에 가득한 봄비,
둘이서 젖는다.

물량物量은 필요지만
가족은 목숨이다
여주연女主演의 불평을
남주연은 수긍한다.

밤새워 생각한 적도
하루를 굶은 적도 없으니
아픔이 아닌 고통이요

기쁨도 아닌 만족이었다.


아이를 데려온 강이 흐른다.
아이를 길러준 흙이 싹튼다.
바람은 심심하지 않았다.
쑥대밭은 재미있이 듣다가는 묻는다.



**19**

없어서
내포內包하면
가능한 변화란
원래가 비어 있었다.


국제선은
석굴암이요,
축소의 확대는
동시同時였다.


어진 나무여
대등한 노래로서
마음의 샘물로서

동반합시다.

가난한 덕과
불행한 믿음과
고독한 하늘이 모인다,
미래학에서.

싸락눈이 옛집 장독대에 내린다.
역시 싸락눈이 내린다.
이제는 옛집도 장독대도 없으나
여전히 싹트는 모국母國,

수많은 한 몸이
뜻대로 움직인다.
시판市販은 성격 따라
어디서나 마찬가지리.

20
가난한 악기와 늙은 춤의
중요한 장면은 대역代役이었다.
인스턴트 식품 시대에서

겨울날 아내가 바느질을 한다.


산고産苦는 아기의 어머니,
영양제보다 더한 참음[忍]이
일정하지가 않아서
없는 것이 없구나.


심한 건망증이지만
착한 만큼 약한 그녀를 염려한다.
엄마에게 소년을 돌려주어야만
세상이 구제될 집[家]이다.


찾아서 가는 곳은
시장할 때 온 음식상이었다.
실지로 필요한 양이란
체중보다 적었다.


무서움과 혐오의
관계는 해소解消인 수가
감귤 껍질의 안팎을 보니
한 해[年]라는 말씀이 실감난다.

역경도 순조롭기만 한 시간이여
더러운 경험도 잊게 되는 덕이여.
그녀에게 맡기듯이
나를 믿는다.


**21**

시간을 늦추어서 쓴다
노점상은 사람 이상도 아니겠지.
시간을 앞당겨서 쓴다
교재教材는 사람 이상도 아니겠지.


후세인들을
혼자서 체험한
이상李箱* 선생은
검은 십자가였다.


시간을 되돌려서 쓴다.
혼자서는 못사느니
응분應分히 갚으려다가
어느새 미안未安이 됐다.

네가 감동하여서
목숨마다 나[我]였다.
허나 말씀의 세계는
각자의 나래[國]들이었다.

생각대로 되는 마음과
마음대로 되는 생각은
부족하다, 부족하라
없어서 발견한다.

잠 못 자는 불빛을
아픔은 고마워한다.
다시 만난 그녀를
어두움은 고마워한다.


**22**

그는 산 있는 시골에서 태어났다.
지나고 보면 잠깐이지,
먼 곳에서
기별이 있을 것이다.

변화를 변화시킨다.

집으로 온다는 전화가 왔다.

도중은 흰 눈이 내리는 휴식이겠지,

주어도 줄지 않는 마음일세.


알아서 믿는 일은 흔하지만

믿어야 아는 일도 허다하였다.

병원이 병을 고치듯이

불행은 불행을 추방하였다.


자녀의 믿음으로

애쓴 부모님을

평생 못 잊는

유업遺業이 있어


나란히 날다가

함께 헤엄쳐 뭍으로

오른 완구玩具들이

가게에 모여 있다.


소망은 건강하여라.

감세減稅가 조절하듯이

제품 개발 경쟁에서
추억은 엄마가 만든 음식이었다.


죄값과 복福밭의
대규모 직접 회로를
구석구석에서
상상력은 영합迎合한다.


문제는 마찬가지라
풍습이 다른가 보다.
간격이 없어
땅은 하늘을 용납하였다.



**23**
창문을 열었더니
지체遲滯를 다스리는 연꽃이요
상해傷害를 방비하는
이끼 낀 벽이었다.


직장은 가족을 위하는 곳이라서
한 몸이 세상이라

세상은 한 몸이라,
제한制限이란 한낮에 보이는 위성衛星들.

말씀은 체험이어서
다시 만날 것이다.
정성껏 부르는 노래는
한결같이 시청視聽들을 한다.

교감하는 여운餘韻인가.
있음과 없음을 함께 보여주소서.
없다가는 나타나는
동안마저 동시에 축복한다.

바다의 소득과
땅의 실리와
하늘의 공익은
계속하는 시가市街였다.

피차를 위해서는
미연에 재난을 막아주소서.
밤중에 저절로 눈이 떠지니
연탄을 갈아야 할 때인가 보다.

**24**

행복은 모양도 없건만

기쁨은 형태도 없건만

지수指數는

비밀을 지적指的한다.


하늘에서 내려다보니

여러 가지 보석밭이었다.

괴상한 폭음으로 사라지면서

불이 일어난다.


미래로 보답하는

은혜인 줄로 알았는데

검은 강물은

앞에서 왔다.


다수를 위해서라면

기다릴 수밖에

오랜 병상도

신록新綠이게 한다면


바깥은 적체積滯요

TV를 시청하는 동안도

어디서인지 초목은

무엇을 위로하는 듯하였다.


상당히 모자라는 사나이가

어느 날 날씨를 알려고

지하철을 전동차로 벗어나

사장沙場에서 모래들과 말벗한다.



**25**

소중한 집안이요

귀중한 목숨들이다.

그 외는 무엇인가

힘의 불구不具란.


마고麻姑*는 상전벽해桑田碧海를 세 번 보았지만

우리도 보았다, 한양 도읍

만호 장안萬戶長安과 만목 폐허滿目廢墟와

외국처럼 생소한 도시를.


슈퍼마켓에 들르면

배고프던 시절이 생각나

아파트 단지를 보면

집 없던 때가 생각나


출 · 퇴근시에는

무직無職이던 날이 생각나

그래 낭비와 곤궁은

무엇을 하나.


균이 병의 원인이라더니

균이라야 병을 고친다니

생각은 무한히 일어나서

시간은 부활하였다.


서실書室은 그의 말씀이요

집은 그의 몸이요,

뜨락은 그의 행동이니

이제야 돌아온 듯하여라.



**26**

허공을 몇 개씩 만들어

싼값에 나누어준다.
저마다 가지도록
과일 바구니에 담아서 판다.

서로의 비밀을 지키면서
내외內外는 함께 산다.
때때로 심한 욕망은
마음의 평화지만

가속화할수록
안정하는 노선路線들이요.
어디나 문제는 있어
누구나 이바지한다.

부지런한 물이여
피곤하지가 않아서
재미가 나서
희희닥거리는 잎사귀들,

미립微粒마다 우주요
세포마다 세계일세.
나처럼 님은

나[我]라 하시네.

이제사 바람은
마음대로 불어
마음대로 물은 흘러서
모두 다 나[我]로구나.


**27**

여유만으로도 만족하지 못하는
대형 사고와 탈선들이
우리 나라로 들어오면
녹빛 요양지療養地,

하는 데까지는 해봅시다.
같은 시간에서 그리
어렵지는 않을 것이다.
흔하디흔한 상표商標들로 나섭시다.

손실을 당할까봐
불안한 해안海岸이요,
손해를 줄까봐

조바심 치는 방파제 너머

이웃 나라에서
방사능 물질이 방출되지 않도록
무관심하지 말도록
조심합시다.

쓸쓸한 풍요와
애정의 고달픔으로
저마다 이룬 자아 세상을
많은 몸[身]으로 나타낸다.

상상할 수조차 없는
목숨이 자기 자신의
마음으로 드나들면서
많은 몸[身]으로 만난다.

낱낱이 한량이 없는
봉선화 꽃씨가 날마다
낡은 자동차를 몰아와서는
내년을 연다.

**28**

허공에서 소리가 일어나듯이
존재와 시간이 아니요,
있지만 없는 것은
먼 꽃 소식들.


한 번은 지나간 곳이기에
무엇으로도
바꿀 수 없는
젊음이 우거진다.


밤으로 들어가서는
함께 새벽으로 나왔다.
명승지의 싸구려 여관집
주인이 되는 소원이었다.


장서藏書에서 신종 과수 꽃을 가꾸어
영양 많은 바람을 섭취하다가
원고지에 비를 내리거나
새벽·저녁의 종소리였다.


강요하지 않는

도움과 자유는

바늘귀도 그녀의 웃음을

듣는다는 이야기였다.


거리距離가 없어

상대가 바로 님이니

나날이 님임을

무無는 안다.



**29**

시간이 보여주는 곳

문을 열거나 방으로 드나든다.

안정과 바쁨은 잠시라도

시간과 상관이 없는 듯했다.


말하자면 나라마다 분업을 하는데

우리는 의료국醫療國이다.

그러한 처지에서

비현실은 현실을 형상形象했다.


판단은 문제를 추구하는

유유한 강이구나.
하나 그는 어느 곳에 가더라도
누가 보아도 그였다.


혼자서 하지만
양시성兩時性은
같은 날씨에서
길거리는 각색 비옷[雨衣]이네.


내가 못하는 일은
남들이 다 하여주는구나.
가난한 아내가 도와준다니
그는 부러울 것이 없겠네.


무엇인지
알 수는 없지만
보다 확실한 것
믿음은 기도한다.



**30**
'어머니' 는 불러서 흐뭇한 말

'아버지' 는 들어서 흐뭇한 말,
화초들은 어디로 가버렸기에
나비와 벌이 여기까지 왔구나.


한여름의 한낮이었다.
삽시에 시민들은 다 달아나버렸다.
광장에는 어린아이 셋이
버려져 있었다.


두 아이는 쓰러져 있는데
한 아이는 울고 있었다.
흑사병이 발생한 아이들이란다.
불볕에서 내가 울고 있었다.


아니, 아이를 버린
내가 달아나다가
시민들과 함께 돌아와서
내가 나를 찾아 헤매었다.


쥐었던 주먹은
펴서 구슬을 보인다.
연기인演技人들만 남았는데

정작 각본脚本은 없었다.


말씀을 적절히 알려면
평생이 걸려도 될까 말까라니
무엇이기에 말씀이 무엇이기에
일인 수역數役의 무언극을 하나.



**31**

일생이란
한 세상이오
하늘 밑이
가족이었다.


친척 집 찾아가는 아들은
열차간에서 잠들었을까.
생각은 따라간다
어디서나 보이는 달처럼.


산골다운 좁은 방에서
자다가 깨어보니
앞집 지붕에

새벽은 와 있었다.


보이는 데까지
보여준다.
제각기 빛나는데
강산은 반갑게도 멀기만 하다.


작디작은 의욕으로
넉넉히 하소서.
못다 함은 젊은이들이 하소서.
모르면 믿어서 이루소서.


고향은 떠난 지가 오래라니
무슨 나무가 무슨 나무를 심었나.
제자 환갑날에 오신
은사恩師님께 문안을 드린다.



**32**
해외 무역 자유 지대에
우리 나라 기지가 설치됐다니
국제 사회란 말을

알 듯도 하다.

헌데 과학이 전략戰略하듯이
종교는 서로들 비난하는가.
새들과 고기들과 짐승들은
새끼를 낳으려고 바다를 횡단한다.

자연식自然食하는 데
성공해서 소득을 올린
친구의 엽서는
이러하였다.

"걱정아, 평생을 친한 사이니
근심이 있어서 절약한다.
근심이 늘 도와줘서
걱정은 면역免疫하였다."

내가 나를 위해
기도하는 이쪽 언덕은
어느 사이에 너를 위해
기도하는 피안彼岸이었다.

모자라는 만큼의 유통으로
무성한 풍토風土가 있어
흐르는 물은 가진 것이 없어서
그들에게는 단 하나였다.


33

하필이면 난해難解를 한다는 말인가.
어쩌다가 난해가 됐단 말인가.
난해란 말만 들어도 몸을 피한다.
어느 사이에 난해에서 벗어난다.


그가 감동을 받았던 유산처럼
그러한 유산을 전할 수 있을까.
상처에도 이끼[苔]가 피었으니
형편 따라서 하기에 늘 있느니.


분단分斷이 회생回生하는
절기絶技를 보게나.
세계의 찬송을
듣는다.

동화同化하여

바닷가 창고의

품목들이

천체天體들과 통화 중이다.


없는 데서

저절로 생겨나

노래하다가는 쉬는

그의 자유자재,


춤을 추는 그녀도

안 보이다가는 보이는데

말씀은 흘러서

강물은 주야장천이구나.



**34**

시간은 말씀이 없지만

말씀에는 시간이 있었다.

출발은 왜 마음을 쓴다 하는지

왜 귀로歸路는 마음가짐이라고 할까.

과부 직전에서 신부로 둔갑한
초속력超速力이야 될 수 없지만
물은 가면서 구름이 오듯이
평화를 수출할 수는 있을 것이다.


해방된 지 몇 해 만인가
실향민은 찐 호박잎과 된장찌개로
가족과 함께 아침밥을 먹으며
통일된 날을 맞이하였다.


그러다가 친딸처럼 며느리를 대했던
노인은 상배喪配한 뒤로
혼자서 아파트 생활을 하더니
홀연 주무시듯이 떠난 날이다.


"어릴수록 새로우니
궁금한 만큼 알겠지요."
"자녀들의 소질을 모르기에
보호하듯이 말입니까."


말하지 말라기에 말을 배우며
못 본 체하래서 보는 법을 익힌다.

말씀은 끝나도 말씀이 아닌가.
산아産兒 제한을 한 회원국들의 총회였다.


## 35

소비消費를 위한 소득인 바에야
주고서 받는 생활들이니
믿지 않는 손실이 더 컸다.
불가능에서만 가능을 안다.


한마디의 실수를 위해서
무슨 말을 하려나.
외국의 책들이 어찌
우리 문학을 알기나 한다더냐.


그녀가 싫다지 않으면
내생에서도 함께 살았으면
그럼 남을 위해서는
무엇을 한 것이 있나.


쓸쓸한 자원資源이었다.
그러하지 않았으면

그 많은 이름을
어찌 다 성취하였으리오.

석가 · 예수의 입은
무슨 모양의 수염이었지.
그 빛깔로
어려움을 지운다.

한 낱에 세세世世가 나타나
분별없는 하나인 곳
보는 바 눈은
서로가 친하였다.

36
국가를 모르는
세계가 있나.
탈피脫皮를 어쩌나
전산화電算化에서.

낯선 호텔에서 회담을 기다린다.
아무리 잘사는 집도

우리 집만은 못하네.

조국의 태양을 본다.


정신이 상품인 데서

상품이 정신인 데로 돌아오다니

허나 공연한 소리인 수가

둘은 없었다.


생각은 다 달라서

제각기 명칭이요,

네가 감지하여서

숲 사이 공감대였다.


자신 있는 도움이라서

알 수 없는 해결이어서

생각하는 자료들이라서

도서관의 점심 식사 시간이다.


불황의 시세市勢에서

아내는 고마워라.

밤에도 허공은

찬란하였다.

**37**

어느 집이기에
웬 여자들의 신발들만 있나.
어느 집이기에
웬 남자들의 신발들만 있나.


노화老化도 자연이어서
그다지도 그리웠던
자연이어서
아이들이 뛰논다.


허나 더운 불모지는
신神을 알았지만
추운 해안에서 펭귄들은
알을 빼앗기고 운다.


신은 본다.
매서운 새는 사투 끝에
착한 펭귄의 아기를
물고서 날아간다.


자네가 체험한 일은

강의실에서 배운 것과는 좀 다를 거야.

사소한 감동에도

낡은 눈물이 탄생하였다.


날마다 말하는 토끼인가 보다.

"다녀오겠습니다."

신이 하는 대답인가 보다.

"차 조심하고 잘 다녀오게나."


## 38

바다[海]의 눈으로

시간을 본다.

감전한 까치가

신문의 머리 기사였다.


길거리의 풍경은

신구新舊가 공존이요,

먹다가 남겼기로 버림받는

음식의 적막도 없지는 않았다.


어려운 것이 인간 관계라면

쓰임새는 마찬가지요,

쉬운 게 인간 관계라면

사람 사는 곳은 마찬가지였다.


양곡은 수입을 면했으니

부지런한 그들이다.

사내에게 응하느라

옷을 벗는다.


운행우시雲行雨施와

행운시우行雲施雨*의 사이였다.

함께 사는 당시當時일세.

꿈에서도 젖는다.


이곳에서 감[柿]은 생겨나서

어느 곳에나 있었다.

필요에 응하느라

하늘은 평등한가 보다.


39

보는 것은 같으나

해석은 각각이라,

느린 흐름으로 지났으니

가까운 여기에 앉으라.


겨울이면 햇볕이 잘 들다가

여름이면 시원한

몇 그루 나무가

손바닥만한 뜨락에 있어,


애쓴 연륜年輪이여

상처에서

동정同情은 싹터

늘 새롭다.


혼자서 사는 그는 어찌 지내나

혼자서 사는 그녀는 어찌 지내나.

좀더 멋없게 말해야지

진정일 바에야.


잘은 모르지만

잘은 모르겠으나

하다면 이러한 경우와는

어떻게 다를까.

돈이 덕德이라니
천당은 아니었다.
씨밭에서
일꾼은 쉰다.


**40**

가정이 파괴되지 않는 한
교도소의 섹스 타임으로
보장된 법칙을
확답은 모른다.

개발할수록 야박하다는 말인가.
"우린 그런 말은 하지 않습니다."
자고로 연극 관람객들은
도망자의 편이었다.

중금속 오염 시간대를
학술 조사하기 위해서
수주일의 식량을 준비하자

선발대는 떠나갔다.

막상 그러한 곳은 없어서
찾아 헤매다가
신뢰의 작디작은 정밀精密만
보았다는 보도이다.

하고 싶은 말이 있어도
하지 말아야 할 말이 있느니
말만이 무엇이나
이루기 때문,

말을 하듯이
말은 공통하여서
빌딩 유리에 구름이 오가는 배경에서도
천사들은 서로들 알아듣는다.

## 41

전산 자동화 시대라니
세계의 파업은 끝나려나.
로봇 능률화 시대라니

지구촌의 폭력은 끝나려나.


가족이 없는 세상에 가보았다.

없는 물건 없이 편리하였다.

다들 생일날도 제삿날도 몰랐다.

보이지 않는 한가지가 없었다.


내일이면 떠나간다

그들 자신의 고향으로.

날씨와 멀고 가까움을 알려면

나무들이 불러줘야만 했다.


불빛 이마를

서로의 하이얀 털에 묻고

쉬는 한 쌍 새를

불면증은 확인한다.


귀머거리는 확인한다

낮과 밤의 이성異性을.

옛과 이제는 어떠한가.

누구나 인생은 마찬가지네.

이르는 곳마다 변하여

그들은 언제나

매일을

부지런히 만든다.


**42**

소송으로 해결을 요한다기에

피해가 나나 보다고 했더니

그리할 수는 없는 일이어서

호반湖畔에서 서로는 자주 만났다.


착한 가난으로 태어났기에

서로는 못 헤어진다.

제 철인가 보다.

새로운 가난으로 열매들이 맺는다.


어쩌다가 휴전선이 생겼는지

통행 금지는 도맡았다.

비 오는 성숙인가.

적막도 지혜로워라.

돌이 아닌가.

옥도 보석도 돌이 아닌가.

문화를 위한 생명인가 보다.

문화를 위한 생활인가 보다.


TV로 사해四海 동포를 본다.

어디에서 살 건

우리는 한 세상이니

사위감이 아니면


며느리감이었다.

세계 어디에서나

조국의 얼굴들이요,

능통한 모국어였다.



**43**

무엇인지를 몰라서

어떻게 되는지를 짐작한다.

알고 싶은 만큼 나타나겠지.

일정하지가 않아서 자체自體한다.

돌[石]에는 모양과 음색이 다 달라서
누구에게나 주도록 넉넉하였다.
그녀의 아픔을 그가 아파할 때
색다른 차별도 공평하였다.

사태와 대책은 씨앗을 심는 일,
어디서나 보이느니 녹綠빛이요
시간이 교류하여 설경雪景은 휴식한다.
나목裸木들의 또 다른 의지를 본다.

오래 피는 꽃나무야 어디 흔한가.
그런데 오래 피는 꽃나무들이 있었다.
바람은 탈출을 보호하여
여백은 돌[石]과 함께 숨을 쉰다.

외계에서 쓸데없이
이유만 따지다가는
현혹하기 첩경이었다.
분명히 창조는 허구虛構하였다.

시간이 해결하여줄 것이다.
태풍에서 벗어나야 할 텐데

자기 자신이 적이기에 적은 없었다.
돌[石]이 하늘의 철새들 소리를 낸다.




**44**

하나는 무수無數요
없음은 다수多數였다.
그래서 기억은
예정을 앞당겼다.


백화점에 진열된 선박들이
사연을 통신하는 중이다.
종업원들이 좌석을 마련하는 동안도
철로鐵路는 함께하였다.


자연이 있어서 과학이요
불을 쬐는 추위였다.
있음을 없애어 수확을 올린다.
없음을 없애어 해산解産한다.


종교보다도 더한 어머님,
룸비니에서 이스라엘까지의

항공 개설에
약 삼천 년이 걸렸지만

우선 남부터 위하도록
자기 자신의 얼굴은 못 보나 보다.
그녀의 눈에서만
나의 눈을 본다.


**45**

칼라 TV에서 그나마 잠깐
멀리 금강산을 보았다.
추억은 유년 시절로 돌아왔는데
왜 못 가는지를 모르겠다.

고생을 알았으니
고마움인들 모르겠는가.
말씀에 많은 말씀이 있어
경전經典은 대화한다.

추석은 은혜로웠다.
조상님들 생각이 저절로 나네.

연꽃의 씨앗은 백 년도 더 간다니
학교의 아이들은 잘도 생겼다.

결정을 못 짓는
산들바람은 시원하여라.
계산과 무형의 희망이었다.
적당히 조정操整하면 변통變通할까.

혼자서 그녀를 차지하겠다며
완강히 거부하는 사나이와
혼자서 그를 차지하겠다며
순종할 줄 모르는 여자였다.

지도를 보게나, 아름다운 휴양의 나라이다.
삼면이 호수다운 바다는 보배요
생각은 가끔 눈을 감았다 떴다 한다.
반도의 인정이사 자유로웠다.

# 2거二居

**1**

피곤하면 청소하듯이
뒷산으로 갔다가
모자라면 보충하러
말씀을 찾아온다.

소망이 없어서 만든 희망이었다.
부정否定의 새로운
추구는 덕목德目,
돌아올 소식을 기다린다.

수많은 모래[砂]는
수많은 없음을 나타냈다.
출입하는 공간에서
나무들은 창가의 대화였다.

지식은 신앙으로 풀릴까.

의문은 자연으로 풀릴까.

바랄 것도 없는 소망이

가난과 친근한다.


심심하면 다툰다.

이별하는 발전에서

화합하는 귀로로

따분하면 정다웠다.


맑은 물과 반짝이는

빛들은 다르기에 같았다.

바람에도 밝은 빛은 흔들리지

않기에 파동에서 벗어난다.



2

옷의 실오라기 사이마다

강바람이 있어서,

생각은 단순한 길[路]로

어디까지 가는 중화물차重貨物車일까.


직업병을 예방하는 지역이란다.

"말씀을 심어서
목숨을 기른대요."
"메뚜기들도 보호한대요."

보기에는 순백純白하나
맛이 짠 소금이었다.
그러하듯이 대답도
아파하는 광명이었다.

잎사귀들이 지는 실직失職소리,
그가 아는 그들은 잘 지내는지
그를 아는 그들은 잘 지내는지
우뢰가 운다, 반가운 비가 오려나.

무엇 때문에 그러는지는 모르지만
뒷골목에서 들리는 후정화後庭花였다.
어느 사이에 시점은 개안開眼한다
시장에서 청과靑果들과 만나야지.

생각보다는 가까웠다.
급하지 않아야 넉넉했다.
미래가 함께 듣는다

봉덕사奉德寺 종소리를.


**3**

소년 시절 때

아버님에게서 들은 이야기가 생각난다.

노대감老大監은 거금巨金을 문인門人에게 주고

동지사冬至使 수행원으로서 딸려 보냈다.


북경에 당도한 문인이

찾아가서 그림을 부탁했더니

화가는 거금만 받고

내년에나 오라는 대답이었다.


다음 해에도 문인은 수행원으로서

갔는데 화가는 한 짝 눈이 멀어

있었다. 아직 다 그리지 못했으니

내년에나 다시 오라는 대답이었다.


삼 년 만에도 문인은 수행원으로서

갔는데 애꾸눈이 화가는

홍두깨만한 포장包裝을 내주며

잘 가라는 말도 않았다.

귀국한 문인이 노대감 방에서 포장을
다 벗기자 족자 하나가 나왔다.
걸어놓고 보니 그럴 수가 있을까.
닫혀진 두 문짝만이었다.

어느 날 노대감은 바라보다가
화가 나서 그림을 담뱃대로
내리쳤다. 그랬더니
두 문짝이 활짝 열렸다.

문으로 들어가 보았다.
거기서부터 선경仙境이었다. 들리어오는
거문고소리를 따라갔더니
당堂에서 미인이 시녀들을 거느리고

내려와 노대감을 맞아 모셨다.
"기다렸나이다. 주찬酒饌을 마련했어요."
노대감은 가무歌舞를 즐기다가 황혼에야
돌아와서 두 문짝을 닫았다.

노대감이 입궐한 가을날이었다.

안방 노마님이 노대감의 방에 와

닫혀진 두 문짝을 흘겨보다가

거금만이 생각나서 아랫것들을 시켜

그림을 활활 불태워버렸다.

전에 없이 적막한 노대감은

다시 문인을 불러 거금을 주고,

동지사 수행원으로서 딸려 보냈다.

문인이 북경에 당도하여

찾아가 본즉 화가는 두 눈이

멀어 있었다. 소년에게

아버님은 왜 그러한 이야기를 하였을까.

4

버림받은 성지聖地였다.

힘처럼 넉넉한

황금은 무엇을 잃었을까.

햇빛으로 공기는 햇빛이었다.

부처님은 차별 심한 시대에서 사셨다.
일찌기 공자님은 암흑에서 사셨다.
예수님은 살기 어려운 땅에서 사셨다.
우리들보다도 못한 세상에서 사셨다.

왜 둘은 천수天壽하시고
둘은 왜 비명非命하셨나.
그래서 그들은 이제
세계 도처에서 산다.

그림자의 실체는
이름[名]의 원점으로,
빛깔의 회전은
변화의 실체로

되찾은 실체와
없어진 실체와
생기는 실체는
말씀의 체성體性,

찬사는 정확히
찬송하는 일이었다.

허공을 부수듯이
타자수가 글[文] 뜻을 꺾을까.


5

곤궁으로도 지켜온 인정인데
설마 돈으로 그러할 리야 있나.
비닐하우스 촌을 휩쓴다
도박학賭博學이.


"무슨 만화책을 냈기에
베스트 셀러가 됐나요."
"무기 판매 이야기와
공중 납치 인질극이었지요."


사내는 허리를 안고
여자는 목을 안고
전쟁 보고도 기아 보도도
역시 문명의 격차라고 한다.


어느 나라인가.
어찌나 설비가

잘됐던지 자진自進해서

교도소 생활들을 한다.


그런가 하면 생활 수단도

취미를 위한 곳이었다.

왕궁을 떠난 싯달타는

걸식하는 나그네 가수였다.


당신인

하나하나가

제각기 운전해서

시설施設은 회의會議를 한다.



**6**

온 곳을 모르듯이

간 곳조차 모르다가

순식간에 알았다면

보여다오, 무엇인지를.


그만한 충분과

남은 형태로서

미묘한 성악聲樂은
날개짓한다.


"이민들을 옛 조선으로 가야
할 텐데 길이 아득히 막혔구나."
말에는 버릴 말이 없으니
대답 좀 하여보아라


계절의 정서로 사는 동물들을
공수空輸하는 사업이거나
계수計數보다도 더 많은
하루에 네가 있었다.


비뚜러지는 시간을 바로잡아
우그러드는 공간을 바로 펴서
욕구를 충족시킨다더니
멀리 사라지는 녹지대였다.


햇빛은 의류라서
하나가 전부였다.
허나 연꽃이 피는 옥玉은
어느 물에서 노는 것일까.

**7**

과실過失에서 배운다.

불쌍한 공항 이별이

취소됐대요.

하나로서 작용한다.


질서를 주는

회의懷疑를 보면

아들들로 딸들로 보이다가

교향악으로서 지속한다.


"믿지지 않을 만큼

별의별 세상 체험도 했어요."

그러나 예방豫防은 변수로서

언제나 남아 있었다.


생명은

말씀의 분신들인가.

그래서 여의주만한

몸살을 앓나 보다.


가난으로 얻었듯이

돈으로 잃을 것인가.
거리가 멀수록
시간으로는 가까웠다.


석가가 생사를 마음으로 정복한
에베레스트 산을 세계의 사람들이
육신으로서 정복한다.
헬리콥터는 뜨지 않았다.



8

더 심할 수는 없는 일이라
참는 인내는 용기였다.
양보하면서 서로를 아끼더니
미안으로서 인사들을 한다.


시집간 딸이 생각나듯이
건넌방 아내를 부른다.
어머님이 생각나듯이
친정 간 아내를 기다린다.


흰 눈이 오는구나. 강아지는

앞서 가는 발자취를 따라간다.

하루 종일 흰 눈은 내리면서

병아리들을 돌아본다.


말로나 하여볼까

못다 한 촉매觸媒를.

못 본 형성形成을

말로나 이루어볼까.


안경은 손[手]이 시리다.

얇디얇은 얼음이

눈[眼]에서 가루가 나자

미지근한 물이 흘러내린다.


시간은 어떠한 모양으로

직종職種이 다 다른지요.

어떠한 종성種性도

정다운 때는 마찬가지였다.



9

이리 보면 이리도 보이다가

저리 보면 저리도 보이다가
아니다 하고 보면
아닌 곳으로도 보였다.


어머님은 한국 분이요 아버님은
영국 분인데, 홍콩에서 출생해서
프랑스에서 고등 학교를 마치고
영국에서 대학을 다닌다는 학생이었다.


몇 여대생들에게 불어 회화를
가르치다가 그 학생이 떠나던 날이다.
통역에 의하면 "내년 여름 방학에도
어머님 나라로 돈벌이 오겠습니다"였다.


춘향전 한 권을 줘서 보냈더니
몇 해가 지나도 소식이 감감하다.
강남 제비 되돌아와 봄은 왔건만
어디서 혼혈아는 무엇을 하나.


그러한 여러 가지 이야기를 하나로
만들려고 계속 수술했더니
결과는 하나만도 아니었다. 그럼

하늘과 물은 무엇으로 정화됐을까.


있는 것도 없어지느니
없는 것도 얻었다.
흰 눈에서 다시 어린 싹이
돋아 나온 저녁 종소리.



**10**

의사들은 바쁘다.
가난을 전염병을
다혈증多血症을 산재産災를 치료한다.
병원은 폐차장을 바라본다.


경제 전쟁이 장기화하자
거지 왕초는
도시를 표연히 떠나가더니
산속 마을에서 산다.


수입이 늘어
물가는 자라나
남아도는 배추들이 쌓여

겨울은 춥지 않아


까치야 동네가 조용하다.
서울에서 보험 회사에 다니는 아들과
수출 공장에서 일하는 딸의
편지가 오려나 기다려진다.


정확히 모르겠다니
그럼 그것이 바로 정확이 아닌가.
일가 친척 간에 효자와 효녀와
효부가 없어서 안심이다.


아이를 위해서는 복을 아낀다.
그녀를 위해서는 덕을 아낀다.
사소한 음식에도 감사하며
서로가 아끼는 나날이었다.



**11**
생일날에 부모님을 생각했으나
꿈에도 오시지 않네.
눈뜨는 아침이다.

까치 한 쌍이 와서 짖는다.


"아버지가 우리들을 위해
하는 노력을 저는 압니다."
그러한 아름다운 소리를
들을 줄이야 누가 알았으리오.


수리數理는 기능에 맡겼으니
본능의 가능可能을 믿는다.
비행사가 돌아왔으니
나날이 그녀인 것이다.


한라산이 불을 뿜던 날에
이제 생각이 이르렀다.
조화를 형언形言할 수 있을까.
저절로 이루었나 보다.


그런데 왜 이리도 어수선한가.
진정 시詩를 위해서라면
버려야지 시도
밤[夜]만한 불을 켠다.

그대가 평생 모은

재산은 애정이니

골고루 펴는 논·밭에서

흘러라 뜻대로 흘러라.


12

모르는 것과 비교하면

아는 것이란 보잘것없는 것

동백꽃 한 송이에도 함량含量은

무진장하였다.


마음의 자유

안개 가득한 자궁

보시布施의 태양

비경秘境에 관한 학문,


수목들만 변했구나 구름은

여전하여라, 일만 이천 봉

동학 동천東鶴洞天에 나를 모르는

돌[石] 하나 있었던가, 물소리야.

강물의 생각이요

몸[身]은 시간이라.

갈매기는 갈매기가 아니니

왜 말씀을 못 알아듣겠는가.


거울은 공평하기에

거울로 신혼 부부가 들어선다.

거울이 노려보지 말도록

거울을 닦아준다.


어두움은 눈을 뜬다.

초생달다운 녹綠빛 눈썹으로

미소하는 새벽 입술은 누구인가.

바로 대자대비시로세.


**13**

누구나 남남끼리 사는

누구나 자녀 손손子女孫孫이로세.

달아, 한 보름달아

"그만두면 되지 않나."

신세를 지지 않겠다는 총각을
도와주러 처녀는 온다.
남·녀가 손을 맞잡고 도는
강 강 수 월 래,

마음으로 사는 세상이
힘으로 사는 계산 속으로
힘이야 들지만 마음으로
살기 위한 세상이니

"인정이야 좋지만
노여움을 타서 탈이야."
어느 사이에 못 잊음은
언제나 너그러웠다.

말씀과 만나기 위해서는
좀 한가한 곳을 찾아야지.
일이 잘만 된다면 좀더
모집 인원을 늘려야지.

숲 사이 공업 지대의
귀중한 약초들과

숲 사이 도시의
귀여운 동물들을 기른다.


**14**

아껴야 할 대상이 있어야 하나 보다.
자신을 위해서는 상대를 염려하다가
아이들에게 돌려줌으로써
자기 자신으로 환원한다.


"갈 때까지 왔군요."
"마담, 왜 그런 말씀을 합니까."
생물에게 돌려줌으로써
스스로가 회복한다.


끝나면 시작하기에 따라서
분별하니 정확한 시간이었다.
그의 소원은 그녀의 소원이기에
빛을 발發하여 서로가 되었다.


취미마다 다 다른 장식을 그리고
사랑하는 결심을 그리고

바랐던 기도를 그리고 할 바는
그 안에도 그 바깥에도 계속하였다.

자유로운 질서는
애쓴 결과이니
연꽃의 그늘을 무슨 수로
분해한다는 말인가.

"도와줘서 고마워요."
"고마워, 정말 잘됐군."
스승이 못한 일을 한
제자들을 두었네.

15
깨끗한 거울은
생기지도 없어지지도 않는다.
없어지기도 생기기도 하여서
순수한 마음이었다.

저무는 주택가로 들어오는데
미래의 허다한 세상이 보인다.

가난한 부국과
부국의 가난도 있었다.

쓰레기처럼 많은 시간이
거품처럼 짧은 시간이
산천처럼 다른 시간이
한데 모여서 산다.

신판新版 천일야화를 읽는다.
서로가 할까말까 하다가는
결말이 나지 않은 채로
끝난다는 기나긴 이야기였다.

원자재를 사용하기 위해서
두 손[手]을 비워둔다.
자신이 없어서 믿기에
믿어서 자신이 생긴다.

말씀을 들어보게나.
무엇인지는 잘 모르겠으나
그 이상으로
그것만은 아니었다.

**16**

나 혼자만이 이불을 덮었구나.

춥지, 이불을 덮어주마.

더 끼칠 손해도 없으니

날이 밝기를 기다린다.


시장에서 며느리는 해장국을 팔며

아들은 절[寺]에서 고시 공부를 한다.

착해야만 살 수가 있다니

고마운 세상이다.


하나는 집성集成이요,

전부는 생명이어서

생명은 하나여서

하나하나가 이루어진다.


손님들이 다들

들어와서는

하나도 남지 아니하자

창 바깥에서 소나기가 내린다.


새가 날으듯이

언제면 길이 트이려나.
침략의 공포도
전쟁의 공포도 없는 강이었다.

몇 시나 됐는지 알 수가 있을까.
시계상時計商의 시계를 수리 중이다.
피아노 조율사는 듣는다
바다만한 연꽃 하늘을.


**17**
여러 번 집에도 왔고
댁에도 여러 번 갔건만
이번은 나와보지도
바래주지도 않네.

스스로를 위하는 만큼
남을 위해야만 하는
노력과 또는 기대가
안개 속의 지침指針이라서

그래 근심할 줄 알며

누구와도 반가워했으니
그게 어디 쉬운 일인가.
역시 고마운 일이지.

독자는 보리라.
그 많은 시대에서
제각기 다른 사람들과
고금 없이 수시로 만나리라.

소원을 따라
여러 가지로 익힌
지혜가 편안히 쉬기에
그를 잊지 못한다.

그처럼 평생 가꾼 마음씨로
애써 이룬 작품들을
모두 다 남겨주고
새삼 영원하구나.


**18**

전지전능한 신이 하는 일이니

기도가 무슨 소용이 있을까마는
"하늘에도 기도할 곳이 없다" 니
지상은 기도로서 교역하나 보다.

반半 조각도 일치하는데
불만의 식료와 그릇의 용량은
어느 정도였나. 내용이 없어서
늘 용납하는 머리[頭]였다.

아기를 기르는 손[手]과
관상대 날씨 예보가
쓸쓸한 데를 메우는
그늘과 빛은 시원해라.

좁은 내[我]가
사물의 모양으로 충만한다.
일용품들과 말을 하다가 보면
서투른 만큼 몇 번씩 손질을 한다.

그러다가도 행동의 한계에서
수목들이 지나가는 사이로
흐르는 물소리는

무한을 벗어나네.


최초의 발명 이후로
누구나 알게 된 상식이
아침 저녁이면 종鐘으로 변한다.
종소리는 스스로 멀기만 하였다.



19
서로는 도와서 산다.
없는 업종이 없으니
어느 역驛으로 가면 만날까.
밝은 빛은 한 점으로 가득하였다.


쓸쓸한 일광욕과
바쁜 여행을 하다가도
잠을 못 이루는 생각은
반대로 가까운 거리였다.


서로가 약속한 어려운 고비와
해소解消는 소박한 소제素題였다.
문물文物은 알 수가 없기에

계속 나타나고 지나간다.

고속 버스를 위해서도
마음대로 못하는 때가 있느니
여분餘分을 펴기 위해서는
여유를 바란다.

한마디의 칭찬으로도 함께 사는
개야 말[馬]아 새야. 어디로 갔노.
"무엇이 다른가를 알아봅시다."
학문이 학술로 변한 사이였다.

문명이란 불쌍한 데를 돌아보는 것
고독이야 큰 자원이지.
정신 병원에서 딸과 면회하고
날아 돌아가는 항공기였다.


20
낮은 한여름이요
밤은 한겨울이지만
고마움도 돌려주어

풍성히 빈 마음이다.

암만 걸어도 피곤하지가 않는
오솔길이 있어
연대連帶의 유익有益은
서로가 유리한 사이였다.

실질은 막연하여
하여서 되지 않는 것
그러므로 운산運算은
수질水質을 위한 포기요,

균등한 지혜였다.
어디나 자생지여서
잎사귀마다 앉은
목소리들은 식구食口를 한다.

생리를 풀어야지
어찌 참는다는 말이냐.
누구나 한 번은 잊는
자유를 염려할 것은 없다.

애착도 없이

지난날들을 돌려드리며

미래학未來學을 맞이한다.

그러는 것만이 나날의 아침일세.


모국어를 모르는 말이 있나.

언어가 말씀을 얻는다.

그가 믿었던 사람이

그는 되는 일이다.



**21**

소녀는 자전거로 달린다.

아침 안개가 낀 가지가지 꽃밭이다.

자유로운 시간은

스스로의 존재,


자연과 인공이 합쳐

발전할수록 한가한 곳이란다.

낡아빠진 시인은 잠꼬대한다.

소위 내일을 위한 발상이란다.

젊음을 위해
못다 한 명제命題를
남겨주기 위해서
새로운 기대로 부푼다.


아무리 넘쳐도 조용한 하늘이요
아무리 적어도 넉넉한 인심이었다.
줄어도 부족하지 않는
늘어도 자랑할 것이 못 된다는


서로가 친절한 사이들이었다.
어느 모로는 좀 쓸쓸한 편이나
쌍쌍은 심심하지 않아서
생동하는 국토였다.


어떠한 어려움도 극복으로
유실수의 가로街路로,
느릿느릿 활발하였다.
달빛 어리는 물소리였다.

**22**

공금으로만

미대륙을 예정대로 날으다가

구라파의 밤을

여성도 없이 열차로 달린다.


시詩가 보이지 않으니

무전 여행도 못하겠구나 동양이여,

돌아오지 못하는 다리를 바라보며

시편詩篇의 버들피리를 분다.


참아라 참는 수밖에 그러니

말하라 말해야 한다.

세계적인 시계와 만년필을

선생님께 선사한 날이다.


백지는 가진 것이 없어

글[文]은 종이[紙]듯이

법이 없어

새로이 발명한다.


물[水]이 거울[鏡]이라니

보는 데에만 막혔구나.

유실림有實林을 바다에 수놓아

꿈을 낳아서 기른다.


역시 자세히는 모르지만

"또 어려운 날씨입니다."

기쁨이 어디에 있나

웃음은 착하기도 하여라.


### 23

"너무나 심심해요."

어디나 친구들은 있을 것이다.

"너무나 바빠요."

적당한 시간이 있을 것이다.


말씀을 알기 위해

낭비하는 노력도

휴식이기에 천천히

변화를 보여준다.


그림자에 씌워진

형관荊冠이 구석에 앉아

내색을 않더니

월계月桂로 솟듯이


그가 못하는 일은

그녀가 잘 견디지만

힘도 쓸 줄을 모른다니

그러할 리가 있나.


흐린 생각의 흐름은

풍치림風致林으로 들어가

나신裸身이 되어

한 장 하늘을 벗긴다.


자세히 모르다가도

말씀대로 이르러

낱낱이 보이는

동그란 말씀.


**24**

심청沈淸은 무엇을 바라는가.

심청을 바치고 무엇을 바라는가.

일시에 하늘과 바다와

땅과 땅 밑이 진동한다.


희미해지는 추억인 양

필연은 친연親緣하니

인간의 고향을

역풍逆風의 회귀로 본다.


일가 친척의 메주나

한 동네의 깨소금처럼

다수가 소수의 잠을

깨우는 아침이다.


누구나 아는 일을

모른다니 그러할 리가 있나.

한 쪽이 못하는 일을

서로가 한다.


버려두어도 자라나는

정자나무와 잡초를

간혹 돌아보면 시간은

변역變易을 섭화攝化하였다.


행동을 따라
몸[身]이 나타나더니
농촌이 활성화한
세월을 풍악風樂하네.



**25**
놀라운 반도체와
평등한 어려움과
합심한 경기는
안전을 위한 동력,


양식良識과 양식樣式은 다른가
결정結定과 결정結晶은 같은가
원리原理와 거리距離는 비슷한가
의의意義와 이의異意는 하나인가.


응용과 정신 병리학과
교체설과 접근법과
이론 체계와 심층 심리와

행동 분석은 인내의 휴식,

인구 수용에서
도망치던 자동차는
박물관에 전시된
밥그릇이 되었네.

심심한 만큼
넉넉해서
영원에서 얻은
한 번의 기회는 무엇인가.

나를 잊는 황홀과
나를 잃는 열중과
나를 모르는 사랑을
행여나 그녀가 알까.


26
명성도 자랑도 마다더니
무슨 시름을 시름하나.
설교에서 벗어나서

내용을 생각한다.

생각나면 지난날에서 만나다가
생각나면 함께 일을 하다가
생각나면 함께 앞날을 거닐다가
생각나면 시간은 외출 중이었다.

학교 길은 집중하여
김장철을 지나서야
저무는 하늘이 흰 눈을 딛는
기다림을 불빛은 알기나 할까.

부끄러운 몸을
그녀가 지은 옷으로 가린다.
그녀가 지은 음식으로
피곤을 위안한다.

소원만은 건강해서
힘써 만드는 시간이다.
받은 만큼 주는 가치로
밝은 빛이 모여든다.

깊은 밤 어느 곳에서
광명의 눈과
광명의 웃음은
무슨 말들을 하는지.


27
"그나마 못하면 어떡허지."
"콩나물 장수라도 하겠어요."
옛날 옛적 엄마의
음식을 못 잊겠네.


아내는 떫은 음식만 만든다.
참을성 많은 자정慈情이다.
남자는 밤 늦게야 돌아오지만
엄마 덕분에 아이들은 잘도 자란다.


보면 안 보이듯이
흐뭇한 마음씨로
거듭 믿지 않아서
다시 발견한다.

좁은 창 너머로 잎들은

가득히 허공을 메웠다.

그 중의 한 점으로

허공을 연다.


사당祠堂에는 희생犧牲이라는

돌[石] 하나가 모셔 있었다.

달빛에 젊은이가

바람 한 점 없이 앉아 있었다.


"여기는 어디인가요."

"다음 정거장은 고모령顧母嶺입니다."

없음을 밝혀서

맑아서 나타난다.


**28**

들으면 짐작하듯이

알면 몰랐던 것

기회만 서로들 다니는

공중空中아, 약한 새를 풀어다오.

"우주 전쟁은
부부 동반으로 한대."
속기 전에 속인다는
허망이었다.


상어 뼈 같은 돛단배가
실내室內 너머에서 온다.
뿌리[根]는 손과
손을 잡았다.


"지난날들을
무슨 수로 겪었나."
망향望鄕은 아직도 흐른다.
"살아서 한 번 보기가 원이다."


인간과 맹수의 옛 이야기는
남의 집에서 싸우는 외계인들이었다.
시작도 끝도 없는 길을
가족은 흩어져 간다.


말씀은 언제나
어디나 있구나.

누가 고해苦海라느냐

사해四海가 형제인데.


**29**

시끄럽고 귀찮은

데서 떠난 발은

쓸쓸한 데를 찾는다.

저기서도 누가 오는구나.


전생前生이 모자라서

후생後生을 가꾸는 친구야

의자는 작지만

편안한 의자에 앉게나.


비대肥大한 빈곤과

쓸수록 넉넉한 마음인데

부지런한 꿀벌은

어느 샘터에서 왔나.


방파제란

겨우 견디면서

실질實質하는
선線,

외손녀를 만나러 갔더니
고아원에서는 외할머니를
따라 나서는 어린이도 있었다.
그가 생각나듯이 누가 생각하나 보다.

친한 만큼 친하는
산천초목처럼
아껴서 돌[石]마저
태態가 난다.



**30**

지난날 섭섭했던 일들을
어찌 다 말하랴.
간절히 소원하면 진실로
이룬다는 말씀을 얻었다.

석굴암을 만지는데
조성造成한 분의 손이 와 닿았다.

법륭사法隆寺* 벽화의 불·보살님들에서
우연히 담징曇徵*과 만났다.

누가 나라를 잃은 아픔을 견디랴.
저곳 남성들을 착하게 하소서.
침략의 아픔을 누가 견디랴.
그곳 여성들을 착하게 하소서.

마음에도 없는 소리는
하지 말 일이요.
진정도 아닌 소리는
하지 말 일이다.

일 초마다 무수한 내가 있어
나마다 무수한 세계가 있어
일시에 말씀으로 이르르지만
동시에 이루는 소원이었다.

다시 난리가 나면
시간마저 없어진다는데
나날의 일과는
쓰레기 청소였다.

31

한 생명의 모든 세상들과
모든 세상들의 한 생명이
서로들 모르면서도 서로를 위해
제각기 작용들을 하나 보다.


날된장에 찍어 먹는 풋고추 향내야
즐길 줄 앎은 생활의 수준인데
고추장에 찍어 먹는 시원한 오이야
어디에 전통주들은 있을 법도 한데


석양에 친구를 보니
낱낱이 거룩하구나,
수십 년을 아는 터에
여지껏 몰랐다니.


그들의 말씀을
내 목소리로 읽는다.
모국어이기 때문일까.
몰랐던 소식을 듣는다.


아픔을 아파할 줄 알며

고마움을 고마워할 줄 아는
다산茶山•의 비타협은
승연勝蓮의 도피,

양쪽 언덕을
적시는 젖줄인가 보다.
말씀들은 낱낱이
열매[實]하였다.


**32**
엄마는 어디로 가버렸는데
아버지가 어디에 있니.
문을 나가는 여연기女演技의
생전生前 영화를 본다.

표현 연구 특수론이란
황금빛 고래 이야기요
햇살에 유영游泳하는
먼지들은 별[星]이었다.

산신山神이라야

범을 탄다는데
학업은 폐원廢園의
산책이었지.

아는 일은 말하지 말며
모르는 이야기나 들어봅시다.
좋아하는 사이끼리 견학見學
좀 합시다, 버리는 효능을.

십자가만 고달프게 하지 말라.
연금煉金은 그녀의 손 가락지인데
그저 하나님만 내세우니
진실로 사정事情을 하기가 어려워라.

구멍을 트면
공간은 안팎이 없어
몰아沒我의 작품은
모양도 가지가지.


**33**
쫓기는 희망은

싫증을 모르네.
하나의 분화分化는
어디에나 나타났다.


쓸쓸할수록 시원한 바람
힘쓸수록 황홀한 휴식
답답할수록 분명한 하늘,
별마다 별들은 찬란하였다.


정지한 순간과 순간의
유동은 하나인 수가
하나하나가 수많은 이름으로
바라는 대로 해갈解渴한다.


난초꽃이 필 무렵에 떠나
잡종雜種의 노래를 듣다가
난초꽃이 진 뒤에 돌아와
푸른 잎들과 함께 삼동三冬을 난다.


슬기로운 햄, 에그, 치즈,
샌드위치와 관찰하는 가루 세제와
다목적인 가스 렌지는

유명 의상衣裳을 벗어버린다.


없어도 가득한 말씀은
없어도 가득한 시간이요
없어도 가득한 무한은
없어도 가득한 마음.



**34**

천당은 하 심심해서 아무도 없었다.
아무도 가지 않기에 지옥은 없었다.
그들처럼 넉넉하지야 못하지만
그들처럼 부족을 느끼지는 않았다.


웬일일까. 평화한 종교와
참기 힘든다는 종교였다.
시간은 착하게 짜[織]여서
마냥 이루어진 시간이었다.


서로가 좋을 수도 있을 법해서
퇴계退溪°의 시를 읊으며
추사秋史° 붓글씨의 종이를 펴고

겸재謙齋*의 그림으로 드나든다.


절약하느라, 창호지만 발라도
새로워지는 한옥에서
대추가 똑 떨어져 구르는
별빛을 듣는다.


있을 때 없다면 하고 생각해본다.
없어서 무엇인지가 생기나 보다.
허나 그는 자기 자신의
용서를 바라지는 않았다.


그래서 분리와 성립인가.
감나무 그늘은 허무의 실체와
차이의 동시질同時質을
계시하는 듯도 하였다.



**35**
어느 호화선豪華船에 초대되어 탄 후로
박사博士는 섬[島]이었다. 선내船內 스키와
선내 승마를 권하나 박사는

손님들이 왜 기뻐하는지를 몰랐다.

"나이트 크럽에서는 여자들 때문에
승무원들이 주먹질을 하는데도
손님들은 웃으면서 맞기만 하니
알다가도 모르겠네."

"손님들은 자기가 뽑기 전에
상대가 먼저 쏠지 모른다는
습속習俗을 알아요. 다음은
대형 사고 영화에 대비해서지요."

박사는 선실에서 전화를 받았다.
"선생님, 오도 가도 못하게 됐습니다.
승용차 기름 값이 모자라니
12만 원만 꾸어줍시오."

"나를 집으로 데려다만 준다면
무슨 수로도 은혜를 갚겠네.
어서 와서 좀 도와주게나."
항해는 일각이 삼추三秋였다.

꿈에서 깨어난다.

여름날은 길기도 하여라.

겨울밤은 길기도 하여라.

잠에서 깨어난다.


**36**

예수님이 예루살렘으로 들어왔듯이

베이루트의 난민촌 학살에서

성인聖人이 또 나려고 저러는가.

혼자 남은 노모의 울음을 듣는다.


부모 없는 자녀가 어디에 있나

자녀 없는 부모가 어디에 있나.

자신이 자신에도 못 하는 짓을

생명이 생명에게 하는구나.


믿어서 알아야지

등불도 주어야지.

없는 데까지 비치리

어디서인가 만나겠지.

그림자 따라

서로가 사이를 열어

가는 곳마다 땅에는

허공이 있어 정각定刻이었다.


가릉빈가* 새鳥는

백마白馬를 안내한다.

혜초慧超* 스님이 보았다는

산천이다.


나는 말에서 내려와

꽃나무들 사이로 오는

나[我]와 만나자 우리는

정중히 인사를 나누었다.

# 3거三居

**1**

잎이 다 진 거목이
눈바람에 견딘다.
덕분에 덕담德談하다가
시간을 이식移植한다.

실명失明이 보는 눈은
일찌기 사형수의 눈이었다.
"그는 나를 모르지만
나는 그를 압니다."

"생기기 이전의 자유자재로서
예를 들자면 이러합니다."
원래 네가 없었기에
너는 너와 만난 것이다.

네가 너를 떠나서

천사들과 합창하다가
공연公演이 조금 전에 끝나자
네가 네게로 돌아온 것이다.


다시 말하자면
구름이 피는 탄주彈奏로서
감동한 청중들 덕분에
우륵于勒*은 다시 한 번 쉰다.


돌변의 시대에서
화합의 길로
비는 오시는군
비도 오시는군.



2
찾아주는 이들로 든든하여라.
불타던 구름에서
단[甘]비가 내리니
일일이 다 다른 지각知覺일세.


달 밝은

심심 산곡深深山谷에서
여자 호랑이와 함께
술을 마시다가는 쉰다.

밤송이 하나에도
족보族譜는 함께하였다.
벗어나기 위해서
내[我]가 되는 것이다.

눈망울은
한연부蓮꽃
조국은
너의 일생,

체온을 느끼자
십자가가 보인다.
결론에서 출발하기에
언제나 무궁무진하였다.


**3**
낳아서 길러서

배워서 가르쳐서
벌어서 쓰는 휴양지의
추운 저녁이다.

운행이 막힌
남쪽의 꿈이라,
그녀를 생각하는 적막아
흰 눈이 내리는구나.

비무장 지대는
동물들의 낙토樂土인데
침묵만 남겨둔 채
해외 개발로 떠나들 갔다.

삼세三世가 한 몸이라
유언에 따라
쓸 수 있는 부분은
환자들에게 이식되었다.

무엇으로 끝없이 생기기에
주어도 끝이 없는 무진장인가.
무엇으로 교감은 끝이 없기에

버려도 끝이 없는 무진장인가.


4
몰라서
아느니
없으니
알리라.


하나님도 참지를 못한다니
참아서 참을 일도 없느니
바라건대 뜻대로 되소서.
몸은 마음다워라.


저기서 못 보는
좋은 면이
여기에 있으니
서로는 생각하는 힘이다.


너무나 많이 보았으므로
부러워하지 않는다.
점점 젊어서

지나간 시절로 돌아온다.

아내여, 어디서 왔을까.
며느리는 덕스러워라.
손자는 복스러워라.
아내여, 어디서 왔을까.


**5**

네가 보이지 않는데
무슨 말이 있겠는가.
머나먼 소식이 궁금하여
심심하면 물을 따름이다.

내 몸처럼 소중한 그들
내 생각보다도 소중한 아이들
내 마음보다도 소중한 그녀들
어디서 너는 달[月]을 낚느냐.

숲이 우거져서
튼튼한 수목들이다.
자연으로 찾아 들다가

어린 시절로 돌아왔다.


사진으로 천지天池를 보니
무한의 찰나는
찰나의 무한이어서
허무를 벗어나서 오는구나.


냇물이 나더러 말하기를
별[星]나라들이라고 하기에
별나라들이 내려와서는
물소리를 엿듣는다.


당신이구나.
침묵과 문답한다.
과목果木이 수분水分한
눈[眼]을 보게나.



6
답답한 남자와
불쌍한 여자가 있었다.
마음대로 되는가를

마음대로 하여보아라.

견문見聞이 경직할수록
보편성마저 줄어서
나날이 좌절할수록
꿈은 자유자재로웠다.

폐쇄閉鎖를 나서자
잔인한 영화映畵를 떠나간다.
외딴 섬의 새소리는
떨어지면서 높이 솟는다.

병원아, 알아서 도와다오.
자나깨나 그곳을 잊지 못하여
요법療法은 서로가 함께
지내는 일이었다.

탈출은 소음을
지워서 편안하다.
극복은 자연을
만들어서 친한다.

**7**

장마 구름은 허공이요

폭풍은 해조음海潮音으로 일어선다.

전장全長은 개통하여 보이느니

전철電鐵은 고루 다 비친다.


말씀을 무無에 심었더니

한 쌍 문조文鳥는 어두움을 지킨다.

불[火]은 방마다 각각 하나씩이요

별[星]들은 각기 섬[島]으로서 떠돌아


반드시 그래야만 하는 법은 없어

애정을 필요로 하는 애정은

반드시 일정하지가 않아

가난은 청순한 그녀를 원한다.


십자가는 환희의 노래,

가시관은 방광放光한다.

이별도 기도하여

하늘 꽃이 비[雨] 내린다.


보다 소중함은 무엇인가.

서로는 함께 보아서 감응한다.
눈을 감아도 보이는 얼굴은
신록新綠을 펴서 향내는 빛나는가.


**8**

둘에서 떠나
하나도 없으니
없어서 이루어
보리라.


이나 저나 간에 가설假說일세.
너를 낳아서 버린 어머님과
너를 주워서 기른 아버님을
말씀으로 보완한다.


관세음보살님의
손가락은 두 개요.
감로병은 꼭지가 깨어졌네.
왜 그럴까. 왜 그럴까.


모르겠노라. 모르겠노라.

컴퓨터인가. 핵 위성이냐.
"홀아비와 과부가 만난
황룡사皇龍寺 종소리랍니다."

없던 곳에서
연꽃은 피어나듯이
귀가 먹어서
샘 솟나 보다.


**9**

보살은 누구시기에
누가 여래如來하시는가.
평등한 마음은 탑이라서
보는 탑은 그들이었다.

누가 귀띔하여주기에
그녀의 주소를 알았으나
그녀가 오는 줄도 모르는
나를 찾아 나선다.

주기 위해서인가.

여객기는 강을 지나
한량없는 명암明暗으로
접어든다.

진입로에서부터
점점 그녀가 되더니
도착했을 때는
내가 내렸다.

그들의 약품이 되리라.
그들의 융합이 되리라.
그들의 공간이 되리라.
그들의 숲이 되리라.

10

"아직도 고생하는군요.
충분히 먹지도 못하면서
무슨 일로 과로하나요."
"아니다. 실은 그런 게 아니다."

기대期待가 버렸듯이

대지여

모국이여

동기同氣여


그대가 무엇에 실패하면

신도 싸워서 정복하는가.

서로가 수시로 즐기도록

만들어도 남기지 않는 지속持續이다.


막연한 구체성과

분석한 종합은

직관의 형성으로

결자해지結者解之한다.


하거나 했거나 할지라도

비끄러매지는 못하기에

몽상夢想의 새는 날아든다,

산들바람으로 그의 빈 가슴[胸]으로.


**11**

걱정 없는 희망이 있을까.

잊지 못할 정서를 보게나.
음계音階들은 하늘다워라
음색音色은 수목들다워라.

남성은 참는 힘으로
여성은 믿는 마음으로
기억들은 자라나서
생각만으로도 만난다.

강력한 고독과
가난한 재산이여
어린 시절은 눈만 감으면
성화星花들이 떼지어 날았지.

얻는 바가 있다면
어려운 만큼 먼 길이다.
무엇으로도 파괴하지 못하는
종소리와 함께 생활한다.

숨을 저절로 쉬는
샘물은 누구에게나
보람으로, 제법 쓸쓸하구나.

결함의 미학을 보는 듯하다.


**12**

네가 태어났듯이
미래에 태어난 아이들아.
누구나 나이기에
네가 바로 나인 것이다.

목륜木輪이 대화하는 집 안이다.
때묻은 미소를 보게나.
붓[筆]을 여백에다
주워다오.

처용處容˚과 고운孤雲˚이여
우리는 정직한 알콜 중독일까.
말귀도 못 알아듣는 귀야,
매연에 숨은 계곡을 듣는다.

참으로 없으면
없을 것도 없느니
거울에 나타난 푸른

원아園兒들과 함께 뛰논다.


기다릴수록 넉넉하여라.
바랄 것도 없으니 왜 못 믿겠나.
길에서 만난 사돈간아,
타화자재他化自在하듯이 하는구나.



13
허락 없이 복사하거나 무료로
복사를 기억시켜 이용하면
중과세에 처한다는
미색美色 광고였다.


누구나 각성은
준칙準則 이상으로 깨끗한데
대기大氣도 병이 들다니
처음으로 듣는 예술이다.


자손이 봉양하는 흙이여
좋은 과육果肉을 주마.
스승은 평생, 제자에게

성인聖人이란 말을 두 번 했었지.


대학과 국민 학교의 수치數値가 같은

서민의 시를 읽는다.

사용법은 같지만 용도가 달랐다.

해안선은 명령에서 자율로 달린다.


멈추지 마세요.

사고思考는 자원이라서

오해하지 마세요

영생永生은 변화하네.



**14**

자동 식기食器가 전자 타자기를 조작하기에

서점이나 문방구상은 사라졌다.

"편리한 교육 도시인지라

술집과 여관만 있습니다."


큰 만큼 작은 눈[眼]으로

상상想像만큼 조그만 정신으로

많은 만큼 적은 전력全力으로

우주만큼 조그만 가공加工이다.


세계가 다하는 확산에까지
그처럼 허무에 약한 태풍인가.
허공이 다하는 일치에까지
그처럼 적막에 강한 육종育種인가.


아이들아 아이들아
월창月窓은 가득한데
그들의 대결장이라도
된 듯하구나.


개폐開閉의 연속 공간은
육합六合의 맞바람이라서
근심은 평상平床에 편안히 앉아
한 점 녹綠빛과 대화한다.



**15**
자가용차를 운전해서 달아나느라
경치 좋은 술집에도 못 들린다.
그러한 억측憶測으로는

그녀와 멀어만 갔다.


일정하지 않은 능력은

기발한 결단인가.

밝은 말씀이 두 절벽

사이에서 떠오른다.


팽창을 보호하기

위한 절약이라지만

가서 보니 동자童子는

삼지 오엽三枝五葉의 산삼들이었다.


여자도 아낄 줄 모르는가.

남자는 남자다워라.

남자도 섬길 줄 모르느냐.

여자는 여자다워라.


이것은 신문 기사요,

돌아온 우주인의 말이다.

"지구의 오염층에 소름이 끼쳤어요."

솔직히 말해서 목적은 아니었다.

**16**

극영화가 아닌 시민들의 기준이다.

역사도 모르는 관광 명소보다는

그녀와 함께 자연으로 소박素朴한다.

반면反面은 값이 싼 잡화상이었다.


살림살이는 좁아졌지만

그런대로 음식도 팔다가 보니

무관심한 평범이라서 별로

바랄 바도 모르는 단순單純이었다.


많은 하나가 되어 들어가더니

하나의 변화가 되어 나온다.

아직도 이면裏面의 지루한 일과는

옛 사람들의 책을 살피는 일이다.


한편 어느 외국에서

가정이 점점 부정否定되는

배움에 바쁜 유학留學이

밟는 낙엽의 길도 이러할까.


고도화高度化보다 비싼 공지空地가

동시에 기다리는 남 · 녀였다.

곡우穀雨로구나, 젖고 싶어라.

함께 젖는다, 곡우로구나.


**17**

비싼 물건을 사서

다투는 형제들은 없었다.

실직이라는 말을 모르는

인신 매매란 거짓말이었다.


누가 무던히도 따분하기에

걸작이여, 불모不毛도 만들었나.

모래밭이 녹지綠地로 변했으니

누가 만든 조물주일까.


할 일이 없으면 큰일이지.

소득이 적은 논, 밭이지만

그래도 심심하지 않은 일이

초생달답게 남았구나.


얻은 만큼 주느니

한 만큼 깊는다.
움직이지 않은 뜻으로서
강물아 흘러라.


수립樹立이 밝히는 햇빛을
무엇도 손상損傷하지는 못하기에
피곤으로 의혹은 걷히어
구름의 고조高潮를 듣는다.



**18**
이산 가족을 찾는 눈망울들을
사람으로는 차마 못 보겠네.
신神만이 신을 모르네.
천하에도 이러한 일이 있나.


우주선은 일녀 다남제一女多男制였다.
밤낮처럼 태양이었다.
"유아乳兒를 울리지 말라."
찬사는 찬사로 가득하였다.


강변의 모래 하나는

누가 무엇이래도

모래야 선인장仙人掌이지

너도 그러하지 그렇지.


환자들을

한 연구로 덜어주는

메리치 한 마리가

바다였다.


시간은 침묵이어서

조상祖上이 자손 하나 보다.

침묵은 말씀이라서

자손이 조선祖先 하나 보다.


**19**

하늘만한 마음이

율동하는 몸짓이다.

세계만한 시간이

말씀을 듣는다.


바늘구멍에도

소원은 다 들어 있네.
착하구나 새털[鳥毛]이여.
산들바람이여 깨끗하구나.

그래도 모를 일을 설명해다오.
"무슨 일이 생겼나요."
"누가 그녀를 기도할까."
눈[眼]은 듣는 광력光力이었다.

아무도 받지 않는다면 받아야지.
받아야 할 손들이 많기에
그의 발은 물러서도
옥玉 등잔은 해돋이 한다.

미래는 무한한데
과거는 언제부터였나.
현재가 다르지 않으니
책을 그의 집으로 돌려준다.


20
대자大慈한 부처님하,

도망쳐도 십자가를 느낍니다.
대비大悲한 부처님하,
님이 있는 데를 알 듯도 합니다.


정신을 유형으로 더듬는 고향아,
무형은 너의 출생지였지.
이모저모로 살펴보니
스스로가 지닌 마음이었다.


그래 부인은 친정집에서
시가媤家의 조상 적 보물인 줄 알았고
시가에 돌아와서는
친정집의 조상 적 보물임을 알았네.


착함과 행운은 다르지마는
착한 행복이라야만
하나를 아는
가족 중심의 나라였다.


언제인가는 자기自己만큼이나마
빈틈을 남겨주어야지.
대자대비한 부처님하,

이 몸이 님의 그림자가 되오리라.

한 부품部品은 모든 부분部分의 하나인가.
체험들로써 꽃밭들을 이루었다.
모든 세상은 그들의
하나하나가 모두였다.


도공陶工의 기도祈禱는 흙을 불로 구워
정다운 옥玉빛을 분별한다.
자유자재로운 능력은
한 생각만으로도 통일하였다.


착한 마음씨로 돌려주어
백자白磁로 새 차茶를 마시니
알[卵]만한 종유석鍾乳石은
천년마다 한 물방울씩 모였구나.


밝게 이르러
열어 보인다.
가지가지 상태와

가지가지 실험과

가지가지 모양과
가지가지 일은
오직 하나요
둘은 없네.


**22**
아직도 왜 돌아오지 않을까.
약한 손을 잡아준다.
더없이 깜깜하구나.
밝은 빛이 부활하나 보다.

그렇다면 비워주마.
그러면 자유자재하리라.
"어디 좀 봅시다."
그에게서 그녀가 나타난다.

위로를 알기에
모국어는 위로한다.
상처가 위로를 받으니

모국어는 안다.

풀려난 새는
벗어난 하늘에서 노래한다.
풀려난 세상이
벗어난 노래를 듣는다.

풀려난 눈[眼]들과
벗어난 귀[耳]들이
저마다 착하게
마주앉아 음식飮食한다.


**23**
무슨 이야기인가요.
이상李箱한 건축이었다.
성명姓名은 그가 아니기에
사람들이 드나든다.

시간도 알릴 때를 아느니
한 번은 꾸는 태몽이었다.
천차만별로 연관連關하니

상륜相輪●이 웃는 보주寶珠●인가 보다.


헌데 폐문閉門과 매춘하는
세월이라니 모를 소리였다.
새벽의 발생으로
하늘도 모르는 하늘이었다.


가난한 미술美術을 보게나.
엄마는 효자인 혼혈아를 두었네.
장성한 입양 아들이 와서도
낯선 산천을 반겨다오.


이민을 가는 내외야
국도國道를 달려온 동물학자야
교통은 안내할 것이다.
저마다의 깨달음으로.



**24**

형편 따라
한계로 나타나는 지혜인지라.
한번 떠나가더니

둘이서 극복을 수용受容한다.


어머님도 남의 집의

딸이 아니었던가.

아내도 남의 집의

딸이 아니냐.


잘은 모르지마는

사위도 아들이요,

잘은 모르지마는

며느리도 딸이니


설령 안다고 하자.

그들도 부모였다.

바위[嵓]는 너그러워라.

초아超我하는 산고産苦가 아닌가.


스스로를 밝히는 근본은

언제나 스스로인 근원인지라,

뿌리는 평등하기에

햇볕이 신록新綠한다.

**25**

뭣이 뭣이 그렇게 했나.

형제 자매야,

언제 보아도 산천이지마는

산천은 안다.


"핵무기에 앉은 듯하구나."

"그러할 리가 있나."

밤중에 돌아온 나비야

그러한 말은 오해니라.


두 손이여

무엇을 바라는가.

말씀을 찾아

합장한다.


모태母胎는 미묘하다.

분별의 집착의

다름과 같음의

생산生産은 현미顯微한다.


푸른 허무는

금빛 나는 고독이다.
어진 마음들이
편안히 사는 이웃 사이였다.


26
형제가
평생을
못 잊는
부모님하.

자다가도 꿈에서
엄마를 잃은 아이를 본다.
혼자서 살아가자니
아는 이들이 생각날 밖에.

빼앗겼다가
둘로 나뉘었으니
기다리는 동안이나마
서로는 편지나 하자.

앙상한 나무가지들

사이로 햇볕이
몸에 스민다.
낙엽에서 약속한다.

넉넉한 참음으로
험난한 사랑으로
침묵을 가슴에 안고
등불은 기도한다.


**27**

누구를 위한 일인가.
멀수록 가까운 시간이다.
하다면 님답게 하여
내일도 님답게 하리라

말씀이
풀잎을 감동시키니
풀잎도
말씀이 아니냐.

잊어도 잊어도

기억에 남은 고생아.
"싸움은 말리되
흥정은 붙여라."


물 한 모금을 마시더니
등불을 밝힌다.
보이지 않은 회복回復은
어두운 광명이었다.


걱정으로 친하고
근심으로 감사하고
보람으로 기도하고
소망으로 이룬다.

# 4거四居

**1**

생각만으로도
어디든지 간다.
이처럼 석가釋迦의 손을
빈 손으로 잡는다.

추우면 솜옷을 입듯이
그녀를 잊지 못한다.
생각만으로도
천하의 겨울을 알아야지.

개미야 벌아.
심심하지 않을 만큼
부지런하구나.
본능이여 사랑이여 동족이여.

마음의 땅을 찾아

말씀을 심으리라.

바라는 바를 고마운

오곡五穀 칠과七果로 나타내리라.


그들이 각자各自니

이러한 미립微粒을

통째로 알아서

어디서나 나타난다.



2

종교도 싸움이라니

처음으로 듣는 소리였다.

평화는 허약하기에

소중하다는 주장인가.


기쁨을 주리라

극락조極樂鳥는 어디에 있나.

무서움을 지우리라

어디에 군락지群樂地는 있나.


목숨만 한 식상食床이라

결혼을 축복한다.

빚을 줄이는 출근出勤은

말씀을 보호하는 물정物情이었다.


천수千手도 손이요

천안千眼도 눈이요

너의 입도 입이요

남의 코도 코였다.


그녀가 심심한

머리를 만져주니

그녀의 허전한

허리를 안아주마.



**3**

해야, 지구는

생명을 지켜야 한다.

달아, 세계가

살아남아야 한다.


시간만 한 말씀이

좋은 완구玩具들을
가지가지로
낳으리라.


시간만 한 육신이
하나마다 하나씩 활기를
우절雨節만 한 뜻으로
보이는구나.


상대相對가 필요한
세상이 넓다 해도
그의 가업家業은
아는 일에나 힘쓴다.


모르기에 부탁한다.
무슨 대가代價는
믿음을 위한
어떤 가치일까.



4
이것도 저것도 아니니

이나 저나 간에

자랑 대신으로

방풍림防風林이 앞선다.


나날이 외면外面하니

공功도 덕德도

아닌

보답報答인가.


그러한 만큼 위험하거나

그러해도 정다움은

누가 먹어도 되는 식품과

누가 입어도 되는 의류였다.


곱게 가설加設된

달이 쟁점爭點을 해소하는가.

종소리야 종소리야

무궁화 빛깔 나는 종소리야.


선생을 따라

제자를 따라

너를 너를

축복한다.


**5**

부모님이 어린이의 수명 장수를
빈 뜻을 겨우 알겠네.
다시 눈[眼] 뜨는 고향에서
기다리는 부모님과 만나리라.


아리랑 아리랑
아라리요
순수한 시간에서
강산이 된다.


아리랑 아리랑
아라리요
뜻대로 넘어
마음으로 맺느니


아리랑 아리랑
아라리요
생각하는 말씀에서

평화가 된다.

저기 저기 저 달 속에
계수나무 박혔으니
금도끼로 찍어내어
옥도끼로 다듬어서

웬만한 집을 짓고
우리 부모님을 모셔다가
천년만년 살고지고.
별아 별아 밝은 샛별아.


**6**

교통 위기에서
탈출하는 능력이
법망에서 이탈하는
기능機能을 탄다.

날개와 투명과
직관과 영험은
사고를 막고

전원田園으로 달아난다.


물질권 내에서
말씀만으로도
먹고 산다니
누구일까요.


희한한 일이다.
생각에 살면서
생각을 나누어준다니
정말일까요.


안팎으로 깊더니
널리 보이는
하늘꽃과 바닷별은
제각기 협주協奏한다.



7
다수의 나는
나의 다수다.
그도 그들의 절약을

아낀다.

침묵도
신비神秘가 있으니
함박눈이 쏟아지는 날은
그녀의 일손이었다.

달밤에 부르는 시조詩調는
유통流通도 새로워라.
비경秘境의 소식은
목숨을 만든다.

대입 학력 고사는
콤퓨터가 하니
젊은이들의 유행은
어떤 성인聖人의 모습일까.

자네가 못하는 일은
남이 다 해주니
자네도 남이 필요로 하는
일이나 해야 할 텐데.

**8**

무엇을 배우러
멀리멀리 갔나.
흙의 약질弱質을 무슨
수로 보호한다지.


전쟁과 어머님은
관세음보살마하살
맹수와 병원은
보현보살마하살


딸을 시집보낸 아쉬움과
며느리를 얻은 덕분으로
손자와 함께 인생을
배운다는 친구의 소식이었다.


보고서 뒷면에서
소묘素描는 연습한다.
조율調律의 상상은 속삭인다.
한반도는 교통의 중심이라오.


멀수록 들리는

구룡 폭포와 옥류동玉流洞으로서

지저분한 머리 속에서

연꽃이 피는 은하수였다.


**9**

집으로 돌아오다가

신腎을 잃었다.

도둑맞은 자리가

황금으로 변하였다.


다르기에 같다면

본질은 무엇인가.

십자가의 살 냄새여

기대期待는 같았다.


너와 다르기에

그도 이루나 보다.

언어의 수도승은

겨우 만족한 부족不足인가.


서울의 거처는

간혹 산방山房인 수가

오만가지 심리心理를

TV 탤런트는 이해한다.


어디까지가 구름인가.

흰 눈인가 얼음인가 물인가.

배우면 개발開發하지만

혼자서도 알아야 하나 보다.


**10**

산부인과

복도에서

기도들은

기다린다.


엄마가 이불 밑에

넣었던 옷이

해마다 겨울이면

저절로 떠오르네.


말씀이 소중한데 무슨 말이 많나.

역驛을 떠나가 얻으리라.

혼자서는 안 되느니 함께 생각한다.

하숙집을 떠나가 받으리라.


아내도 고생만 시키고

자·녀도 제대로 못 기른

저녁 노을아, 차디찬 술이

추위를 덜어주네.


너의 묘명墓銘을

적어준다.

나라 없는 백성으로 태어나

반半국민으로 떠나간 한 성명性名아.


**11**

낙도落島의 선생님은

속현續絃도 않고

실패를 자부하고

자랑을 참회한다.


적막으로 행동하니

말로는 표현 못한다.

화음和音의 그림자를

주기도 받기도 어렵구나.


미묘한 파도소리를

다 들었으니

알았으면 알았지

영원히 다 말못하리라.


박토薄土에

마음씨를 심는다.

애닯은 반사反射가

얼음을 녹인다.


학생들이 아들과 사위로 보이다가

며느리와 딸로 보이니

바랐던 만큼 줘야 할 텐데

버렸듯이 도와야 할 텐데.


**12**

부처님이 오신 길을

혜초는 계속 간다.

그 당시는 사라졌으나

시간은 지금 흐른다.


뜻밖의 믿음을 위하여

찾은 손실은 무엇인가.

왕궁을 떠나간 대자대비여

거지는 지상의 성인聖人이었다.


그래도 없느니보다야 낫겠지.

그래도 무엇보다야 낫겠지.

흐름을 듣는 조상彫像아

그 침묵만은 말하지 말라.


허울을 벗거나 벗은

춤과 매미와 또는

출생천出生川으로 되돌아온

산란産卵을 보게나 된다.


부처님의 자취와

혜초의 흔적은 어디에 있나.

켜지지도 꺼지지도 않은

연등을 마음으로 비춘다.


**13**

지구촌은

한 사람에게만 구혼求婚한다니

대대로 계승한 바를

그대도 한 번은 전해주게나.


침체한 마을의

한적한 콩밭이다.

기다리는 나날이

자연을 관리한다.


설계設計에 온 외계外界는

비천飛天들의 숙소요,

이용당하는 십자가는

식당食堂도 모든 신神들이었다.


동서고금의

종소리가

이웃을 생각한다고

가구家具들은 설명한다.

명제命題를 위한
초미세超微細의 구조는
집중적集中的 외연外延의
일환一環으로 발견하는가.


**14**

탈 인간 문명의
인조 자연에서
벙어리 개는
누구를 닮았는가.

"특히 유능한 사원社員이라오.
그런데 혼자 살아요."
수리數理가 언제면
체온을 회복하나.

자랑만 하는
빚장이가 있었다.
위하는 만큼 실망할까.

그러할 리도 있을까.

무디고 무딘 복력福力과
더디고 더딘 성장과
여러 가지 가을과
겨울의 안정安定이다.

섣달 그믐날에
아는 이가 다녀가더니
설날 아침에 오누나 오는구나.
집집마다 서설瑞雪이 쌓이는구나.


**15**

베스트 셀러 1위인
번역 책 『청부 살인단』을
언제 읽으셨나요.
"절에서 오는 길입니다."

칸느 영화제 금상인
「남 · 녀 혼숙 업체」를
아직도 못 보셨나요.

"성당으로 가는 길입니다."

순진한 외할머니와
극진히 사셨다는 외할아버지는
천하의 명의名醫셨다는데
딸만 다섯을 두었더란다.

고금古今의 정월 대보름달인가.
우리네 미풍 양속을
언제면 그대들이 보랴.
그래 태양도 외국이 있다드냐.

누구보다 뒤늦게
대리 체험에 이르러
뜻대로 표현하여
무한은 지속한다.


**16**

입춘대길도 지났건만
한파가 기승을 부린다.
과목果木들을 돌보느라

식구들이 밤잠을 못 잔다.


인정人情은 흘러
수평선으로 나타나지만
참아야 오르듯이
높은 산은 허허虛虛하였다.


잃었기로 찬송한다.
빼앗겼기로 함께한다.
사라졌기에 생각한다.
없기에 본다.


어머니가 자·녀를
기르듯이 귀찮다는
남편도 기르려 드니
아내는 오죽이나 고달플까.


어디서 보아도
생생生生은 깨끗하였다.
언제나 젊음은
미래가 새로웠다.

**17**

목숨의 사랑은
믿어야 안다는데
믿지 않으면
누가 무엇을 믿나.


서로를 위한 이익과
희생에서 얻는 이익도
이익이라니 알다가도 몰라서
생각하는 밑천이다.


상대가 알아보도록
당신을 밝혀야겠는데
어디로 가면 추억과 만날까.
손님으로 가다가 구름을 본다.


"아이들의 학비나 댈 수 있었으면
무슨 고생이 있었겠소."
견디는 고비를 구비구비 넘기고
어머님은 늙을수록 부지런하시다.


넉넉한 가난이다.

나라[國]는 그대의 집이었다.

미닫이에도 반가워라.

녹음綠陰은 왔다.


**18**

저만 있고 남이 없는

동물들에서

몸을 피하다가

비를 만나 목욕한다.


싫으면 부럽지 않다며

즐겁게 뛰놀던 개는

무슨 무안無顔을 당했기에

왜 무안해하나.


나비와 벌이 없어서

수입품 화분花粉을

향락 산업화하는데

어디로 가면 무엇과 만날까.


이혼은 서로의

원조로 성립하였다.
치어稚魚는 떠돌이
먼지로서 자라났다.

그러나 여가가 나면
이간離間에서 솟아올라
소[牛]가 유유히 날으는
칠석七夕의 직녀성織女星이다.


**19**

국제 민속 축전에서
한 번 본
한 여자가
한가위 달이었다.

한번 가더니
일자一字 소식이 없다.
말문이 열리도록
침묵을 준다.

무슨 뜻인지 몰라서

생각이 나나 보다.
떠나야 안다더니
혼자서 함께 만났다.

어느 부부가 왔었기에
아기의 신발을 두고 갔나.
지나간 시절이
분명하였다.

사람들이 사는 곳을
시청기視聽機로 대하니
저기는 어디인가.
누구나 일가 친척들이었다.

**20**
살해하고
피살되다가
깨고 보니 꿈이었다.
아침이 심야 상영深夜上映에 온다.

선풍기는 벗님들의

책을 읽는데
수림樹林은 허덕이는 불볕 더위로
조성되었다.

씩씩한 산맥은
광활한 논·밭이 보였다.
바라는 바는 되도록 마음을
편안히 사는 일이다.

싫으면 버리듯이
집을 지킨다.
순수純粹는 깊은
광명光明으로 단단하였다.

헌데 과도過度로 중독中毒하다니
무슨 소리인지 모르겠다.
빨리 손을 쓰면 괜찮겠지.
저녁노을은 또 차를 몬다.

**21**

조난 보도가 있을까 해서

마음을 뜬눈으로 새운다.
짙은 안개로 가렸기에
해야 할 일은 감사였다.


자기 자신도 이기지 못하는 그가
병실들을 둘러본다.
거울은 거울이 필요하지 않으나
거울은 겁을 줄까 겁이 났다.


세계의 고민을
앓는 조국은
대자대비를
대신하는 모국母國을 안다.


시집간 딸이
생각나면 아내를 본다.
친정의 어머님이
생각나면 남편을 본다.


고층高層들을 짓느라고
날마다 하되 다하지는 못한다.
건강에 이롭다는 말은

생각하는 말을 생각한다.


**22**

물건과 목숨을 바꾼 장소는
힘과 목숨을 바꾼 사고는
사실이 아니다 사실이 아니었다.
젊음은 팔지도 빼앗지도 못한다.

비가 댐에 내리는 날
상가商街에도 직장에도 많기도 한
하나하나가 낱낱이 그대였으니
물에도 구름은 있었다.

귀머거리가 일시에
들은 소리는 우뢰가
아니기에 천동天動이어서
날개가 날으는 날개였다.

세수를 하다가
착안着眼은 무엇인지
잘은 모르나 씻어내야

보일 듯싶었다.

위기를 벗어나
지식들로 들어가
부재不在를 아는 곳에서
양로養老와 고아孤兒와 개는 웃고 있었다.


**23**

해변에도 산성의 비가 내린다는데
한여름에도 드문드문
잎들이 지는 은행나무들의
시가市街는 외식外食들을 한다.

절도 예전
절이 아니었다.
문으로 문으로 돌아가
문수文殊*를 찾는다.

이별은 안다니
그는 그들이기에 그였다.
나뉨을 함께하는

192

기도祈禱는 하나였다.


자연을 잘
탐구하는 지순至純은
자연을 잘
지고至高하는 섭리인가.


못 잊으면 만난다니
입[口]은 깨끗이 한다.
알아들으며 말씀을
작업하는 손[手]이 말한다.



**24**

주인공이란
난처한 편이어서
형제간의 송사는
빚장이들을 끌어들였다.


치사스러운 역役을
누가 맡으려나.
참회하는 역을

누가 맡으려나.

어머님은
버리지 않고
슬픔은 자상도 하사
대지大地를 이루었다.

장수촌이라기에 갔더니
옛이야기였다.
그는 먹이를 찾아
도시로들 떠나간 뒤였다.

자유로운 공상과,
청순한 가상과
즐거운 환상은
없었던 현실이다.


**25**
적막한
세종대왕은
겨울에

난초와 함께한다.

하늘은 별들을
잃지 않았다.
시간이 이제야
움직인다.

분노도 파괴할
수 없는 음식과
욕심도 파괴할
수 없는 약재藥材와

고통도 파괴할
수 없는 생필품과
폭풍우도 파괴할
수 없는 유통이다.

조상들이 바다 밖에 가
나라를 문화로 세울 때
자나깨나 못 잊은
고국 산천이었다.

26

예의바른

외출옷 차림의

말씀이란 평범하지만

때로는 혼란하다.


우범 지대는

비싸게 기회를 팔았으나

내용에서 보면

싼 책값이었다.


밤이면 앓는

남편의 귀가를

아내는 기다린다.

"아침이면 새로우리라."


세상은 그대요

그녀도 세상이기에

알 수가 없는

아름다움이었다.


염원이 조금씩 밀리는 소리는

기대가 느는 소리였다.
핏줄을 찾는 소리는
빛이 암흑에서 터지는 소리였다.


**27**
코가 빨간 분장은
악역惡役이었다.
무대의 허세와 현혹을
조명하기는 연두색軟豆色이었다.


속이려 들고
속지 않으려는 불볕에도
착한 피해被害는 역시 착하여
정다운 그늘은 흠씻 젖는다.


애정은 부끄러워
함께 사나 보다.
비밀을 지키며
둘이서 함께 사나 보다.


한계가 있는

눈[眼]은

마음에

살고 있었다.


아이들이

바라기에 따른다.

기쁜 소식을 듣고자

서로는 부지런하였다.

# 5거五居

**1**

조용한 솔거率居*는 멀고도
가까운 눈을 밟는다.
동서東西가 만난 신라 불상은
중생들의 불공을 잡수신다.

그의
퇴근 시간은
그녀와 약속했던
시간의 8분 전이었다.

둘은 싸구려 장소에서
결혼을 했었다.
아이들이 어렸을 때 주워왔던
돌[石]들은 인연을 기억한다.

그는 말씀을 따라 버리지 않는다.

그는 말씀을 모으며 계속한다.

그는 말씀을 아끼어준다.

그는 말씀으로 비추어 받는다.


식구들이 새 책을

헌 책으로

만든 내용은

'부처님의 세계' 였다.



2

뜻은 출생하고

무능한 기도는 미소한다.

무수無數는 그럴 거야

그래야 무수하지.


차별은 특성들로 사라진다.

겨울은 눈 내리는

소리로 말씀을

기른다.


남은 상처와

받은 분열이

역 대합실에서

오손도손한다.


혼자 걷는 이를 보면

구즈레 젖어 보인다.

아버지와 함께 걷는 어머니를

보면 춥지가 않다.


아쉬움은

그리운 여유餘裕였다.

떠나가는 어둠은

새로운 빛으로 오는 것이다.



**3**

그는 수입보다

지출을 자랑한다.

밤은 숨구멍이

만든다.


누가 부르는

이름을 들으면
그는 그가 아닌
남인 듯했다.

이름이 없음은
좋은 산수山水였다.
추위에 온 손님을
따뜻이 대접한다.

어린 시절로 가나 보다.
생각이 나지 않는 전생의 길이다.
싯달타 태자는 주되 바라지 않는
고향으로 변상變相한다.

소원하는 힘을
마음대로 보인다.
무수한 생각들을
무수히 나타낸다.

4
셋은 있어야지.

하다못해 둘이 다투면
하나는 말려야지
친구들아.

비가 부슬부슬 내린다.
마루에는 불빛 대추들이요
은행잎들은 황금 뜨락이다.
아내는 어디서 수고를 하나.

금년에는 먼데서 모과 세 개와
꽈리 두 개가 더 왔다.
어머님의 처녀 시절 때에
머리 냄새와 댕기 빛깔은 이랬을까.

"문을 닫고 들어오게."
"문법에 맞지 않는군."
문을 안으로 잠그지
않기에 하는 소리다.

어느 마을인지는 모른다.
썰물과 밀물은
원만하기 위한

달[月]을 볼 게다.


**5**

어둠을 밝히기 위해
힘을 내는 힘아.
우리는 오래도록
아는 사이였지.


흰 눈더미 속에서
보세난報歲蘭 꽃대로
솟는 태양은
새벽의 종소리였다.


말씀을 떠나지
않은 생각은
나무들과 공간空間도 기른다.
시간과 돌[石]도 기른다.


구름처럼
서로가 손짓하다가
흐름처럼

함께 만나


날으는 비둘기들을 보면
두고두고 기다린다.
반가운 소식을 들으면
두고두고 고마웠다.



6

나는 말도 할 줄 모르는데
어머님 나라 말씀은 곱기도 하네.
수화手話야 수화야
수리水利야 수리야.


부모면 다 겪는 일을
새삼 말할 게 있나.
식구들은 다르기에
한 집에서 산다.


젊은 실직률의 계절에서
말을 듣지 않기는
그처럼 아끼기 때문이란다.

없으면 풍성한 바람이 분다.


천지天池도 분단되다니
어리석은 짓이다.
손은 신문을 거꾸로 읽는다.
한 마리 염소는 어디에 있나.


자다가 귀로 들리기에
미닫이를 여니
첫눈이 오는구나.
금과金果야, 수옥水玉아.



7
그대의 단순한 대화도 좀 듣고
웃음소리도 듣고 싶다.
해는 균형 있는 가속加速에 저문다.
우리는 동트는 길을 지켜야지.


길은 계속 두 사이를
지나가며
계속 마련하는

그들의 사이였다.


너를 보고 싶으면
낮과 밤이 통화한다.
소식이 듣고 싶으면
세계를 아랫목에서 본다.


거리가 없는 사이는
거리가 없는 사이였다.
기계가 대신해주니
생각할 때인가 보다.


책을 펴면
옛과 이제는 오가다가
백두산에 함께 오를 날을
혼자서 상상한다.



8

많은 식구들을
무슨 수로 먹여야 하나.
밥상은 소중하고 소중하다.

노인들만이 남은 논·밭이다.


전쟁으로 겪은
언어 착란증言語錯亂症을
바로잡아야겠는데
누가 환자를 도와줄까.


세상에서도 못난 일을
무슨 복으로 한단 말이냐.
보이지 않는 말씀은
속박이 없는 제약이었다.


한 티끌만한 세계가 있어
한 만큼 주겠지.
시간이 저마다 있어
다 다른 얼굴들은 새로웠다.


해는 가는 대로 저절로 간다.
가지가지로 아름다운 소리는
몇 번이나 되풀이했는가.
어떤 여러 가지가 무엇을 알았는가.

**9**

나무가지들이 뱀들로 변한다.
너는 두렵지 않으냐. 몸을 피하라.
제사를 지내는 자손은
조선祖先들을 가족으로 안다.

누가 잠을 못 자는가.
누가 너를 못 잊나 보다.
"그들이 바란다면
그들과 같이 받아야지."

동시대에 태어난 그들과
미래의 핏줄은 생각한다.
날개를 잃은 천사는
일회용 사나이와 여자였다.

하늘은 어디서나 있었다.
하늘은 옛날에도 있었기에
하늘의 음악소리가
미래에서도 들리나 보다.

누구나 보는 햇볕과

어디에도 있는 별빛들은
말없이 많은 뜻을 보인다.
그들은 제각기 나타났다.


**10**

무슨 꿈을 알게 하기 위한
험하고도 먼 길인가
무슨 실체를 알게 하기 위한
궂은비가 내리는 먼 길인가.


절망은 사랑이었지
전투기는 젊은이였지
고향은 부모였지
수술은 성공이었지.


서로의 팔들은
안기고 싶음을
안아주고 싶은
사이였다.


아끼는 말씀은

위안을 함께하며
새들을 기르며
겨울을 지낸다.

하루를 굶은 일도
밤을 뜬눈으로 새운 일도 없으니
누구의 은덕인가
미안한 생각이 든다.


**11**

전쟁으로 겪은
언어 착란증을
바로잡아야겠는데
누가 환자를 도와주나.

누가 누구 손에 갔는지 아는가.
그들은 이혼한 승리였다.
"혼자서가 아니라면
같이 받아야지."

없는 이름을 만든다.

없는 구심점求心點을 웃긴다.

없는 내조內助를 없앤다.

없는 성능性能이 눈을 뜬다.


전자 타자기가 거부하는

비문법非文法의 진정을

평범하게 펴는

모음이여 자음아.


혼자서는

되는 일이 없었다.

사랑을 사랑하면서

싹이 트는 동질同質들이다.



12

소식아 매梅야.

없다면 무엇이 없느냐.

어찌 이리도

없는 것만이 있느냐.


싸움이 없는 나라와

피해가 없는 나라에서는
제각기 바쁜 나날에서
천천히 택시를 몬다.

하객들은
혼례날이다.
"입맛 따라 많이들
잡수세요."

아끼는
산월産月은
얼굴들이
해 동갑同甲한다.

당신으로 나타난 시간은
다 다르게 나타난다.
그들을 즐겁게 하기 위한
태양은 낱낱이 차별한다.


**13**
행복도 전쟁이라니

그래 행복한가.

고마운 줄도 모르니

그녀가 너를 감사할까


믿음으로 지킨 실패는

흔들리지 않는 뿌리였다.

어디서나 너의 분신은

누구나 나의 분신이었다.


일을 하다가는

젊은 내외의 사진을 본다.

젊은 내외의 사진이 그를 본다.

그들은 무엇을 아낄까, 아낄까.


외제로 싸우는

고독한 신은

십자가를 땅에서 뽑아버린다.

예수님이여 헌신하라, 헌신하라.


소년 때에 이른 봄날의

해 어스름은 어느 긴 긴 밤을

헤매다가 이제야 돌아온

아침의 황금 숲인가.


**14**

누가 나가라고 때린
갓난아기의 멍든 볼기짝일까.
증명이 증명한 것이 아니고
발상한 흐뭇이었다.


네 집안의 자·녀를 낳아준 여인을
그렇게 대접할 수 있느냐.
남의 집에 이간을 붙이고
그래도 대접을 받기 바라느냐.


행동에 따르는 생각과
생각에 따르는
동작 사이를 헤어 나가는
날개는 자유였다.


일을 하다가 보면
하루 해는 저문다.
언제나 배워야 하니

어려움이 여[開]는 보람이다.


허수아비와 꼭두각시가
춤을 춘다.
처용處容아, 나오너라
나와 함께 춤을 추자.


**15**
얼음이 녹는
젖[乳]방울의 소리가 들린다.
잎사귀들이 피는
먼 소식이 들린다.


단주短珠*와 한글 사전을 옆방으로 모시고
막걸리와 열무김치를 마련해놓고
벗님을 기다린다.
가난도 미안하여라.


빈 주발도 내오고
매실梅實도 갖다 놓아라.
나의 손을 나의 손으로 쓰다듬는

나무 그늘은 뜨락에 가득하다.


모래알 하나가 뿜는 빛이
벗님의 돌아가는 밤길을 밝힌다.
거나하게 취한 꿈은
춤을 추는 몸이었다.


소망하는 힘은 믿는다.
한 생각의 종소리는
한 생각만이 듣는
본래의 귀[耳]였다.



**16**
염려하는 전통은
어려움에서 나옵시오.
무엇을 안 토종土種은
적막에서 나옵시오.


새가 만나기로 한
새들을 날게 합시오.
새들을 위한 새가 새들과

함께 즐겁게 합시오.

아이들을 위해서는
그를 수고롭게 합시오.
자기를 알기 위해서는
잡념에서 벗어나게 합시오.

호우 경보를 듣고
남이 생각나듯이
우리가 있듯이
남들을 안정하게 합시오.

누가 방황하는 너를
위해 너의 하늘을
위로하겠는가.
날마다 위로는 24시간을 간다.


**17**
외래外來는 시집을
먼 곳에서 왔다.
"네가 몸을 다치면 아버지와

엄마는 아푸단 말이다."

어느 날 산악 지대를 가다가
토막난 몸부림을 보았다.
아파라, 아파라.
진정 아푸다.

그러나 초 성능
현미경으로도
보이지 않는 질감質感은
설계設計와 함께한다.

얼굴과 거울은 노래하며,
둘은 하나가 된다.
노래는 지평선이 되며,
마음가짐이 향방向方이었다.

물을 건넌 그들은
고향으로 돌아온다.
손들을 잡아주는 통로通路는
머리들을 쓰다듬어주는 숲이었다.

18

화랑花郞들의

유적遺跡을 밀월蜜月한

신혼 부부가

돌아온다.


언제나 식품값이

비쌌다. 주민들은

음식을 제일로

아는 풍토였다.


어디에

참회를 할까.

그대는 나의

참회가 되지 말라.


하늘에 핀 연꽃과

바다에 솟은 꿈나무는

누구나 보며

어디서나 본다.


어디에

감사를 할까.
그대는 나의
감사가 되라.


**19**
화초들은 태양의
여행담을 듣는다.
"서로가 이로운
그들은 서로 돕더라."

어린 뜻을 길렀던 몸이
편안히 피곤을 모시려 하네.
평생을 되풀이한 법륜法輪이
어디서 오고 있었다.

하늘은 지구가 하나였다.
바다가 한 방울의 물이었다.
무한한 마음은
대자대비로 충만하였다.

걱정과 근심이 없으면

하루도 못 사는

그들의 소원이

무가해진언無加害眞言을 외고 있었다.


시간과 빛에서

만난 그림자가

조용히 움직이는

관세음觀世音의 팔을 보았다.


**20**

내리는 비는

개와 함께 뜨락의

몇 그루 나무를 듣는다.

소식消息은 넉넉하여라.


장판 바닥의 한 잎이

웬일인가 했더니

이를 어쩌나, 아뿔싸

나비의 날개로구나.


잘 보이지 않은 님의 모습은

222

분명한 나의 모습일까.

손은 제 얼굴을 더듬어본다.

얼굴은 제 손을 느낀다.


촉매觸媒와 혼탁을

식별하는 두 개의

눈은 캄캄한 밤중에

잘 익[熟]은 달[月]이었다.


말씀이 생겨나는

중심은 그곳도

저곳도 아니었다.

말씀은 후광後光이 있다.



**21**

압력의

수난을 겪었던

빛나는

한글이 있다.


"난 구라파에서 오는

부산행, 열차를

인도에서 타고

서울로 돌아왔습니다."


"자네는 먼 미래를 말하는가."

"사장님은 어쩌다가

하룻밤 사이에

극노인이 되셨습니까.


서울발, 빠리행, 열차에서

어느 이국 여성과 만난다면

사장님은 하룻밤 사이에

새파랗게 젊어질 수가 있습니다."


그런 식 저런 식

이런 식에 단련됐던

생생한

모국어가 있다.


22

그들이 만나라기에

우리는 잠시 만났지만

말도 맘대로 못하는

서러움이 남 · 북을 울렸네.


기다려보자.

하늘이 무너져도 솟아날

구멍은 있다고 한다.

기다려보자.


동포여.

부모님과

형제

자매야.


사랑에서

태어난

생명은

사랑이기에


서로가 서로 우는

눈물을 보았네.

울어라, 울어라, 울음은

세계에 단비[甘雨]를 내려라.


**23**

불멸의 힘은

생활들의

어디나

있었다.


우리가

가능할 수 있음은

그대들의 도움이

있었기 때문이니


그대들이

다 못한 원願으로

조국의 통일을

도와주오.


그대들은

우리가

어두움에서

보는 광명이다.

감사는
그대들에게
향香을
사른다.


**24**
전화는 숱한
통화들이었다.
그 하나하나가
숱한 목소리였다.

추울 때
따뜻한 이불 안처럼
따뜻하게 하소서.
목마를 때

한 모금의 물처럼
고맙게 하소서.
시장할 때

받은 밥상처럼

반갑게 하소서.
보고 싶을 때
만난 사람처럼
못 잊게 하소서.

숱한 그대와
숱한 이름은
전화에서
언제나 함께 있었다.

# 6거六居

**1**

조국이여, 세계의 어머니여.

처자도 없는 미스터와

처자를 못 잊는 미스터는

둘이 다 주정꾼이었다.


선배들이 준 돌과

친구들이 국내에서

또는 외국에서 갖다 준

돌들이 서로 속삭인다.


우리는 밖에서 안으로 들어간다.

안에서 밖으로 나온

나는 시장으로 들어간다.

극장劇場이 내게로 들어온다.


꽃은 하늘이 되어서

땅은 별이 되어서

그들은 내가 되어서

나는 우리가 된다.


이곳에서 그곳까지

너의 머리를

만지는

약손이 있다.



2

혼자 사는 여성을 보면

일가 친척은

겨울 날씨였다.

눈밭에 불이 켜진다.


매분梅盆에

돋아나는

목소리를

듣게나.


개야 굶을까

염려하지 말아.

개야 잡혀갈까

염려하지 말아.


마음대로

하라.

마음을

마음대로 하라.


구름은 하늘이

푸르기에 희다.

눈은 설날이

있기에 희다.



**3**

사랑은 멀고

성전聖典은 단 혼자였다.

내가 모를 사람은

누구일까.


내가 모를 사람아.

그대는 어디서
꼭 한 번 본
얼굴이었다.

누가 잘됐다면
흐뭇했다.
누가 안됐다면
언짢았다.

서로가 다
다른 평등이었다.
서로의 분별은
서로를 안다.

친구들이 함께 나타난다.
낱낱이 하나로 나타난다.
번갯불아, 대자대비야.
한없는 마음이 있다.


4
아프리카의 굶주림과

어느 나라의 대형 사고를
직접 보여주는 우주 중계는
보는 이들을 한마음이게 한다.

걷는 동안이
길이었다.
눈이 내리는
길을 간다.

불빛이 보이는
주막으로 들어가
몸을 녹이며
나목림裸木林을 본다.

보이지 않는 믿음은
어디에 있나.
믿는 이만이
보이는 곳이다.

추워라
추워라.
정답게

추워라.


**5**

머리는 위에 있고
뿌리는 밑에 있었다.
엄마야 엄마야,
나는 꿈에 몹시 맞았다.


그들은 나를
때리고 달아나더라.
말은 자유였다.
글[文]이 아프다.


된장찌개는
해초海草와 만났다.
날으는 비상飛翔은
하늘을 업었다.


생각은
천지에
가득

하구나.

무無에서 태어난 생生은
무를 체득한다.
무에서의 발견이
발명을 창조한다.


**6**

위기 상황에서
벗어난 물은
싸움에서
벗어난 햇볕이다.

당신이 못한 만큼
자녀에게 해주오.
아이들아 아이들아,
우리가 못한 일을 해다오.

무엇으로 새로운
외국 말을 번역하려나.
상륙한 외국어들이

한글로 표기되었다.

못다 부른 노래는
그대가 불러라.
하나님을
위로하라.

원점原點을 떠난
지구는
원점으로 돌아온
길이다.


7
무엇일까.
무엇이 무엇인지
모른다면, 언젠가는
알 때가 있을 것이다.

돌[石]은 싫증이 나지
않는 미술美術이었다.
막膜에서 나온 별이

각국各國의 말을 한다.

상호 반응으로
견디는
사랑의 힘이
있었다.

전쟁도 기아도 없는
수확이 있었다.
피해도 한恨도 없는
풍년이 있었다.

알았다면
무엇을 알았을까.
유치원 처녀 선생님의
웃음이 된다.


**8**
필요로 하는 정도는
어느 정도일까.
그의 일생은 실패요

십자가였다.

만나고 싶을 때는 언제인가.
아무도 이름을 빼앗지는 못한다.
무엇이 무엇을 앗아갔느냐.
누구도 땅을 옮기지는 못한다.

꽃들 사이에는
합장이 있었다.
약藥은 여러 가지
약을 만든다.

너의 명소名所는
웃으며
평범하게
사는 절약이다.

하나의 다수가
다수의 하나에게
복합複合 친화하는
생각을 주었다.

**9**

머리카락은
바람에
구름처럼
희었다.

너만이 있고
남이 없는
세상에서
네가 남이다.

북쪽의 아내여
제발 잘 있어요.
남쪽의 남편이여
제발 잘 계셔요.

흙을 사랑하라.
나무를 사랑하라.
사랑은 감사한다.
사랑으로 감사는 온다.

염세厭世하는 체질과

진지한 집념과

자적自適하는 초탈을

겸한 산山은 누구일까.


10

너는 보이지 않는

것을 보며

너는 들리지 않는

것을 듣는다.


부처님이 보신

샛별은

너에게 말한다.

"내가 바로 너구나."


시아본사是我本師여,

석가모니 불하,

무의촌은 가난하고

손은 책을 덮는다.


하늘이 노래하는

비가 오는데
생명이 춤을
추는 땅이 있는가.


부처님의 시간은
우리의 시간이요,
우리의 시간은
부처님의 시간이다.



**11**

기술을 떠난
진정眞情과 진정을
떠난 기술은
만날 것이다.


하느님이여, 귀가 먹은 말을
들으소서.
북두칠성이여, 잘 먹지도 못하는 소리를
들으소서.


해는 소원을 지성으로 빈다.

달아, 지성으로 빌어라.
내외가 지성으로 빈다.
아이들아, 지성으로 빌어라.

심심하지 않기
위한 비가 내린다.
생각하는 사람을
위해 비가 내린다.

정情은 아래로
흐르면서 그럴 수도
저럴 수도 있는
점點을 확인한다.


**12**

사람들은
결혼을 몰랐다.
생활은 부모를
몰랐다.

그렇게 그들은

잘살았다.

그렇게 그곳은

편리하였다.


그런 소리는 하지 말아라.

말하지 못하는

개가 섭섭해한다.

손은 개 머리를 쓰다듬어주어라.


너를 아끼는

상대가 있다.

내가 잊지 못하는

친구가 있다.


정전停電이란

잠이 안 오는 밤이다.

그가 그녀의

아픔을 참는다.

# 7거七居

**1**

생명이 생명을 걸고
생명들이 살아간다.
누가 평화를 싫어하는가.
누가 평화를 기다리는가.

진실이 어떻게
진실한가를
아는 사람이 있다더라.
그와 그녀는 그것을 알까.

그 말이 무슨
뜻인지 모르겠다.
모르기 때문에 가능한
실현은 생기게 된다.

의사는 기도를 하고

강도는 기도를 하고
핵무기는 기도를 하고
고생은 기도를 한다.

우리는
그것이 무엇인지
모르기 때문에
기도를 한다.


**2**
남을 돕지 못하는
날은 수입이 없지만
웃음의 경영經營은
누구나 할 수 있다.

어느새 바람은
없다가도 불었다.
아무도 마음을
파괴할 수 없다.

별들과 달은

잠을 자지 못하는

사람을 위하여

빛난다.


조용한 이야기는

언덕을 거닐며

없던 노래도

불러본다.


우리가 먹는 밥은

부처님이 잡숫는 밥이다.

이 포도주는

예수님의 포도주와 다르지 않았다.



3

귀가 먹어

성인聖人의 말씀도

들리지 않는다.

그가 성인의 말씀을 알 수 있을까.


겨울은 있었던

것도 없앤다.

봄날은 없었던

것도 나타낸다.


귀가 들리지 않는다.

말씀은 말을

하지 말란다.

침묵이 말씀을 기다린다.


침묵에서 빛나는 말씀이 있다.

귀머거리가

말씀을 들었을 때

벙어리가 되었다.


눈은 남을 돕기 위해

자기 얼굴을 못 본다.

서로가 서로 돕도록

자기 얼굴을 못 본다.


**4**

누가 우는구나

하늘이 운다.
하늘이 우는구나
강산에 비가 온다.

상처가 심한 몸이
살아 있다는
사실도 놀라운
기적이 아닌가.

어느 날 밤
꿈은 엄마를
부르면서 찾다가
꿈을 깨었다.

남의 집에
왔던 처녀가
어머님이 된
날이다.

은행잎이 어디서
왔는가를 안다면
손가락이 왜

움직이는가를 알 것이다.


**5**

사대事大는 사대였다.

집이 없는

사람은 어찌 사는가.

사대는 사대였다.


누가 과거의 실패를

지적한다면

그의 소원은

이루어질 것이다.


나의 손과

그녀의 손이

서로 잡았을 때

우리는 고마움을 알았다.


그대여, 고생이 많지?

미안한 마음은 할말이 없다.

냇물에는 달빛이 어린다.

눈물에는 애정이 어린다.

아름다운 사람이 생각난다.
부모님 산소는 초라하고
절은 옛 절이 아니었다.
생각은 아름다운 사람을 생각하게 된다.

6

가정의 파탄은
무엇도 구제하지 못했다.
간혹 사람은
인간의 고향이 그리웠다.

눈물은 공자님의 울음이다.
아픔은 예수님의 피다.
옛 성인聖人들은
글을 쓰지 않았다.

오늘도 나는 젊은이들이
보고 싶다.
그들이 잘

되어야 할 것이다.


별[星]이 기도를 드릴 때
너는 잠을 잔다.
네가 기도를 드릴 때
별은 잠을 잔다.


세계를 가장
사랑하는 모국은
동족을 가장
사랑하는 나라였다.



7
귀여운 새는
날아오고
나무가지마다
새잎들이 핀다.


나라를 잃었던
백성은 반半국민으로 떠나갔지만
소망은 그날을 볼

사람과 만나고 싶다.

말에서 쇳조각소리가 난다.
쇠[鐵]가 이승과 저승 사이를 달린다.
아무도 모르는 말이 있다.
강물에 뜬 달은 무슨 뜻일까.

법은 창조할 줄
모르니 이제야
대지大地가 대비大悲인 줄
알겠다.

없던 시詩가 이루어진다.
없던 현실이 나타난다.
남 · 북은 하루아침에
평화 통일을 성취했다.

**8**

자연은 무슨 재미로
우리에게 감동을 주는가.
아는 것이 없는 그는

모를 말도 생각한다.


사람들이 "왜
이러는가" 모를 때
권총으로 쏘았더니
시체는 살아났다.


관음산觀音山에서
보현동普賢洞까지 그는 오는데
비행飛行은 삼세三世를 일순一瞬으로
통과했다.


원래 말은 없기 때문에
말이 생겼다.
해마다 오는 새싹들은 온다.
어디서 왔을까.


그의 집은
바로 고향이 된다.
그의 가족은
바로 세계가 된다.

9

호젓한 난초는
사시장철 푸르다.
사랑은 미워하지만
미움은 용서한다.

뒤에 오는 분들이
그가 못한 일을 하느니
그는 더 바랄 것이 없다.
그는 금강산을

다시 못 갈지라도
뒤에 오는 분들이
가서 볼 것이니
그가 보는 거나 다를 것이 없다.

그는 녹음이 우거진
길을 걷는 동안
새소리와 물소리가
그를 반긴다.

그는 말도 할 줄

모르는데

어머님 나라

말씀은 곱기도 했다.



**10**

외할머니는 미국에서

갓난 외손녀가

우는 소리를

전화로 듣는다.


남쪽은 북쪽 고향을 잃었으니

북쪽은 남쪽 고향을 잃었다.

가장 가까운 곳이

가장 먼 곳이 되었다.


우리의 고향은 어디인가

세계의 고향은 어디인가

인간의 고향은 어디인가

마음의 고향은 어디인가.


그의 몸이

그의 고향이지만
마음은 고향을
찾아 헤맨다.

어머님이 평생 부르셨던
관세음보살은 그에게 말한다.
"대비大悲는 눈을 뜨거라.
대자大慈는 보아라."

**11**

고생한 부모 형제와
조국의 평화는 어디로 가고
핵무기와 에이즈는
어디서 왔는가.

잠이 왜 오지 않는가.
하루만 부처님을
뵈옵지 못해도
그는 잠이 안 온다.

나는 그를 만나러

이웃집으로 간다.
그는 나를 만나러
내 집으로 온다.

음식은 우리를
친하게 한다.
친한 우리는
음식을 서로 권한다.

대자대비한 손이
그의 머리를 쓰다듬자
잠을 못 자던
밤이 새는가 보다.


**12**

귀가 말씀을 듣지만
생각은 없는 말씀도 듣는다.
우리가 겪었던 그 많은
경험이 경험을 해방한다.

사람도 사람을

차별하지 않는데
누가 성인聖人들을
함부로 차별하는가.

미 · 소 두 나라는
정상 회담을 한다.
우리는 서로가
만나지도 못한다.

미움이 못하는
사랑은 오는데
가버린 태양은
아침으로 밝았다.

고구려 금동여래입상은 말한다.
"선남녀善男女는, 염려하지 말아라."
신라 금동보살입상은 말한다.
"선남녀는 걱정하지 말아라."

# 8거八居

**1**

아름다운 해탈은
평화할 것이다.
그러나 대상對象을 잊지 못하는
마음씨가 넉넉하다.

눈이 먼 옛 악성樂聖은 천지에
풍운 조화를 일으켰다.
갈 곳을 모르는
실패는 미래를 노래한다.

그는 어디에 가더라도
그였다.
그곳은 누가 오더라도
그곳이다.

그와 그녀는 만났지만

둘이 헤어진 뒤에도
서로는 하나였다.
그들은 다시 만날 것이다.

나라가 분단된
백성은 가족을
사랑하여 부모님을
뵈오러 간다.


2
마음은 한이 없어서
생각은 한없이 일어난다.
성격은 각기 다르지만
비가 가뭄에 내린다.

물소리에 말씀은
마음으로 온다.
한 번도 심심한 적이 없었으니
하는 일이 어려웠다.

흘러간 노래를 들으면

그 노래를 배웠던

젊은 나이가 된다. 그래서

형제는 서로 돕는다.


자기의 등[背]을 못 보는

분신分身은 분신과 함께 산다.

쓸쓸한 그 고향은

정다웠다.


그러나 기술만이 늘고

진정은 줄어

큰 오동나무가

몸살을 앓는다.


3

정월 대보름날 밤에

밝은 달이 떠오른다.

우리는 못 만나지만

달은 동포를 굽어본다.


형은 생전에

동생을 만날 수 있을까.

연변 동포가 부르는

아리랑을 TV로 우리는 시청한다.


"나를 버리고 가시는

님은 10리도 못 가서

발병이 난다.

아리랑 아리랑 아라리요,


아리랑 고개를 넘어간다."

눈물이 핑 돌면서

앞을 가리자

아리랑 민요만 들린다.


정월 대보름날 밤에

달은 밝게 노래한다.

"풍년이 와요, 풍년이 와요.

삼천리 이 강산에 풍년이 와요."


4

목숨을 건 차량들이

무섭게 달린다.
하루도 편안한
날이 없으나

인욕은
부처님 앞에서
인내를 말하지
않는다.

그가 못하는 일을
남들이 다한다.
선생이 못하는 일을
제자들은 다한다.

괴로움은
예수님 앞에서
고통을 말하지
않는다.

다정한 손이
손을 서로 잡으면
겨울철 나무에도

아름다운 열매가 열린다.


**5**

비가 내리면 나무는
대지에 은혜를 갚는다.
참으면서 물소리를
사랑은 듣고 있다.


말에는 천차千差와 만별萬別이 있으나
그는 침묵에 귀를 기울인다.
아무 생각도 없는
상태에서 말이 생긴다.


외환에는 힘이 약하고
내우에는 의견이 많았다.
미안하다는 인사가 있어야
고맙다는 인사도 있다.


정서情緖의 취미가
싸우는 자유로 바뀌었다.
산은 다수를 걱정하지만

개인을 미워한 적이 없다.


소년 가장과 소녀 가장은

일을 서로 돕게 된다.

인연이 있으면

결혼은 이루어질 것이다.



6

어머님은 남의 집으로 시집을 오셨었다.

아내도 남의 집으로 시집을 왔었다.

딸은 남의 집으로 시집을 갔었다.

며느리는 남의 집으로 시집을 왔었다.


가을날 학생들은

아들이나 딸이나 사위나

며느리가 되어 보였다.

뒤늦게 철이 나는가 보다.


부인은 보살에게

동냥을 주자

보살은 부인에게

흰 비단을 주었다.


흰 비단에는
관세음보살
다섯 자
붓글씨가 씌어 있었다.


씨를 심어
2년 만에 꽃은 피었다.
그 꽃이 지고 3년 만에
천일과千日果는 열렸다.



7
근 6백 년 동안
한 쌍 은행나무가
허다한 일을 보았는데,
해마다 새잎들은 핀다.


그를 낳아준
분은 부모님이다.
그를 길러준

분도 부모님이다.


고아孤兒는 당신의 젖을 먹었다.
당신은 그에게 말을 가르쳤으나
그는 당신에게
감사할 말도 몰랐다.


우리는 이곳에서 만났다.
우리는 이곳에서 알았다.
생각이 잊지 못하면
잊지 못하는 생각이 있다.


고마운 일은
학생들이 훌륭한
아들이나 딸이나
사위나 며느리가 된 것이다.



**8**
외래어를 번역하지 못하면
외국어는 그대로 몰려온다.
외국에서 우리말을 듣는

모국어가 정답다.


황하를 TV로 보았으나
금강산은 나타나지 않았다.
핏줄은 보고 싶은
이산 가족을 만날 것이다.


우리 근심은 괴롭게 아프지만
생각은 누구나 대자대비하다.
귀가 먹었으니 이제는
마음의 소리를 듣게 하소서.


남자의 자유와
여자의 불만은
축배를 든다.
성지聖地에서 편지가 왔다.


아이들은 잘생겼으니
나라가 잘될 것이다.
희망은 아이들에게
기대를 걸었다.

**9**

"내생에서도 여자가 되어

전생 남편과 함께 살겠다"고

어머님은 밤마다

부처님께 기도를 드렸다.

"너희 집에서 고생을 많이 했다"고

어머님은 말씀을 하셨다.

자식들을 살리려고 어머님은

모든 여성을 대변하셨던 것이다.                                              .

아들은

앓는 어머님의 말씀을

잊지 못한다.

"가지 마, 가지 마."

그날 어머님이

세상을 떠나셨기 때문에

아들은 구사일생으로 살아

돌아왔다.

엄마는 평화로운

냇가에서 아들을 기다린다.
아들은 아내와 함께
부모님을 만나러 가야 한다.


**10**
그는 태어났을 때
이름이 없었다.
그의 본명은
그럼, 무엇인가.

그는 모든
사람의 너였다.
너는 모든
사람의 나였다.

그런데 너와 그는
이구동성으로
싸움은 붙이지만
흥정은 말라고 한다.

얼음꽃은 활짝 피었다.

눈이 1만 2천 봉에

분분히 내린다.

착한 그 친구는 어떻게 되었을까.


전쟁의 자유는

엄청나게 폐허화했다.

그대들은 남에게

원한을 사지 말아라.


**11**

바다는 마를지라도

샘물이 넘쳐흐른다.

중심은 무너졌으나

무심無心에서 노는 휴식이 있다.


그래도 집안을 파괴하며

형제는 서로 미워한다.

비명 횡사한

부모는 말이 없었다.


귀가 먹고

벙어리가 되어
듣지도 말도 못해
삼천리 강산이 보인다.


다른 나라들도 이산 가족은 만나는데
무엇이 남·북을 가로막았느냐.
소원은 생전에
아내와 자녀를 보고 싶은 것이다.


아이들은 부모의 수난을
다시 겪지 말아야 한다.
겨레가 믿음을 회복하면
고민은 평화롭게 해결될 것이다.



**12**
숲길에서 그는 새소리와
물소리를 듣고 있다.
기억에서 신비하게 별은 빛난다.
기억에서 푸른 마을이 평화롭다.


그러나 산사山寺의 정적은 그에게

침묵의 말씀을 들려주었다.

아름다운 추억은 다시 살아나지만

꿈은 다시 산방山房 생활을 못할 것이다.


억울은 극락에서

별이 되어 빛난다.

밤이 되면 그는

별들과 대화를 한다.


그에게 감명을 주었던

책들은 인내력을 강요했으나

인연은 알 수가

없도록 묘한 것이다.


어느 나라보다

우리 동포인 형제와

자매는 착하게

인생을 알고 있다.


## 13

사랑으로 생명이 탄생을 했으니

그렇다면 생명은 바로 사랑이다.
그래서 연인들은 조용한
자연을 찾아간다.

전혀 다른 이질들이
서로 도와준다면
양극에서 새로운
문화가 싹트게 될 것이다.

무능한 그는
말씀과 함께 산다.
자비는 인욕도 없는
원각이 된다.

천당에는 돈이 없지만
욕심은 자유를 누린다.
그러나 떼 두루미가 여권도 없이
세계 각국으로 날아다닌다.

그는 손에 인삼과 꿀과 양주를 들자
오랜만에 선생님을 뵈오러 갔다.
날씨가 맑아 구름은 흐르는데,

지난 세월이 서러워 아무 말도 못했다.


**14**

몸이 피곤하면
쉬고 싶은 때가 있지만
무슨 일이 있을지라도
정신은 평화를 염원한다.

겸재는 금강산 그림을 심안心眼으로 그렸으니
그도 금강산을 심안으로 본다.
옛 명현名賢의 친필을 보면
눈앞에 명현은 나타나신다.

평화를 찾는 사람은
성지聖地로 왔으나
만족을 찾는 사람은
성지를 떠났다.

뜻은 말대로 되는데
말은 뜻대로 되지 않는다.
하지만 고향이 가까워온다.

조금 더 인내는 참아야 한다.


정신은 늘

생각하게 된다.

답답한 심정은

미래도 깨달을 것이다.



**15**

어느 날 백범선생은 그에게 말했다.

"불가에서 말하는 삼매三昧*를 아오?"

"제가 어찌 삼매를 알겠습니까."

"참, 이상한 삼매도 있습디다.


어떤 사람은

삼매에 들면 죽었다가

삼매에서 깨어나면

다시 살아난다고 합디다."


그래서 백범선생은

유일물어차有一物於此

선천지이무기시先天地而無其始*를

붓글씨로 쓰셨다.

마음으로 그는
후천지이後天地而
무기종無其終*을
외웠다.

웃목에 앉았던
성재*선생은 그에게 말했다.
"우리가 만난 것도
또한 인연인가 보오."

# 9거九居—아리랑

**서序**

나라를 잃었던
백성은 아직도
반半국민으로서
살고 있다.

밝은 달밤에
처용이 자기
그림자와 함께
춤을 춘다.

사랑하기 위해
사랑은 자연을
사랑할
수밖에 없다.

대자대비는

말씀을 하지 않는다.
그러나 귀머거리가
그 말씀을 듣고 있다.

따라서 봄은 그 겨울이
못한 일을 이루었다.
자녀들은 그 부모가
못한 일을 이루었다.

**1**

살아생이별은

말도 못하는데

노인은 살아생전에

금강산을 다시 보게 될까.


된장국이나 김치가

있어야 밥을 먹고

모국어는 우리를

살아가게 한다.


그러나 아종阿從하기 위하여

자랑은 부끄러움을 모르며

미리 못한 사정事情은

눈이 어둡기 때문이었다.


겨울날 보세난에

꽃이 피었으니

어느 곳에

매화꽃은 피었는가.


오랜만에 설날은

살아났다.
어른은 다시
어린아이가 된다.


2
먼동이 트는 겨울에
옥동 서원 방촌厖村* 선생은
이웃집에 태어난
갓난애의 고고의 울음소리를 듣고 있었다.

오랫동안 세월은 흘렀다.
출생지에 돌아간 나그네는
부모님이 생각나기에
백화산을 우러러보았다.

기러기 일곱 마리가 의좋게 날아가는데
기러기 한 마리가 땅에 떨어졌다.
불러도 대답이 없기 때문에
기러기 여섯 마리가 울었다.

밥술이나 먹게 되면서

인심은 타락하였다.
서실書室 주인은 호계虎溪*의
삼소三笑를 듣고 있다.

인도에 인도를 되돌려주었던
일은 마땅했다.
어느 나라도 세익스피어를 달라고
간청하지는 않았다.


## 3

부모를 모르는 자녀가 있느냐.
자녀가 없는 부모도 있느냐.
아름다운 말씀은 어디에 있는가.
착한 말씀은 누구를 기다리는가.

우리는 사랑하기 때문에
그리운 강산을 잊지 못한다.
따라서 그는 두보를 생각했지만
두보는 그를 모른다.

등대에 살아 있는 쥐들은

흙 냄새를 맡지 못하여 미쳤다.
정신 병원 의사도
정신병 환자가 되기 시작하였다.


옛 성인들은 사람을
차별하지 않았으나
사람은 성인들을
차별하고 있다.


마르지 않기 위해서
나무가 필요한 만큼
물을 섭취한다. 그러나
소는 쇠고기를 먹지 않았다.



4
착한 개야, 짖지를 말라.
너를 잡으러 온 사람이 아니고
벗님이 친구 집에
놀러 온 것이다.


짓궂은 일만이 있었으니

그래 반가운 소식은 없는가.
오래간 만에 만난
그들은 인사를 반갑게 한다.


그러나 날씨가 제아무리
변덕을 부려도
며칠이 지나면
먹구름은 걷힐 것이다.


과거는 현재를 나타내고
현재는 평등을 나타낸다.
미래는 영원을 나타내고
한 생각은 시간을 초월한다.


사랑하면 아무리 어려운
일도 해결이 났었다.
어디에도 시詩가 없기 때문에
세상에는 시도 필요했던 것이다.


5
옛 시는 깨끗하기가

소금빛으로 하얗다.

그러나 내용을 음미하면

고생살이가 짜기도 했다.


집배원이 새 시집을 가져다 주면

시를 진실로 좋아한

그는 시를 읽지만

시를 쓰지는 않았다.


참다운 법은 법을 모르는

사람을 보호하고 있다.

건란에 핀 난초꽃을 보아도

외로움은 저절로 사라졌다.


만파식적萬波息笛*을 불지 않은 사람이 있거나

만파식적을 듣지 못하는 사람이 있느냐,

고도古都가 시市로 변한 석류나무 집의 짙푸른 감나무야,

우리는 가을에 또다시 만나야 한다.


몸은 말을 잘 듣지 않기에

안타까운 일이 간혹 있지만

그 귀가 무설설無說說을 듣는다.

그 입은 자비를 말한다.


**6**

시대와 함께 고생했던 그가 그녀를

어떻게 배신할 수 있느냐.

그런데도 아내를 버렸던 아버지는

아들에게 효도하기를 바랐다.


귀중한 일생은 증오와

싸움만으로서 살아가기 어렵다.

미워하는 분노가

건강을 해치기 때문이다.


신앙으로 근심은

걱정을 잊고 있다.

정신적 작용은

마음의 양식을 섭취한다.


목이 마르지만 마실 생수가 없었으나

불국사 생수는 밤낮으로 흐른다.

더욱이 약수를 믿는 사람은 없었으나

석굴암 감로수가 갈증을 다스린다.


대저 얼굴은 생각을 표정으로 나타낸다.
그러나 정신은 형태가 없다.
그러므로 없는 형태가
현실화하는 차원을 이룩하고 있다.



**7**

자기 병과 몸은 싸우고 있다.
병을 앓는다면 몇 해가 지났는가?
근 반세기 동안 병이 낫지 않는다.
그럼, 식물 인간이 되었는가?


어쨌든 몸이 말을 듣지 않아도
더욱 정신은 맑기 시작하였다.
도대체 그 전염병은 무슨 병인가?
병원도 병명을 모르게 되었다.


환자만이 자기 병을 낫게 할 수
있다고 의사는 말한다.
세상에는 이해하기

어려운 일이 많았다.


평화는 매우 약하기 때문에
위기를 만나 사라지고
열매가 익기까지 기다렸던
그 잎이 지는 것이다.


학문이 학술로 변하면서
기술은 늘어나고 진실은 줄어들었다.
컴퓨터는 정신이 필요하지 않기에
기술을 익히도록 지시하고 있다.



**8**

금강산 절들은 6 · 25 사변 때
전부 소진되었다고 스님은 말한다.


그렇다면 신묘한 호봉虎峰 대사•의
『화엄경』 필사본과 추사秋史선생 붓글씨인
'마하선실摩訶禪室'•및 '화락유실花落有實 월거무흔月去無
痕'•
전문 목각 현판도 불타버렸는가.

사람은 인간의 기쁨을 기뻐하며
인간은 사람의 슬픔을 슬퍼한다.

그러나 운경雲磬°의 구름이 날아다니고
법기봉法起峰은 상주 설법하실 것이다.

그러므로 불이문不二門°에서 유마거사가
중생의 병을 앓고 있었다.


**9**

여러분에게 많은 신세를 지고
남을 돕지 못하는
무능은 미안하지만

고운 정과 미운 정이 들어서
우리는 헤어지지 않아도
침묵이 흐르는 물소리가 들려온다.

한 가지 소원을 이루기 위해서는
욕심을 줄이고 그 걱정은 건강하다.

불법佛法이 법을 없앴기 때문에
불佛만 분명히 나타났다.
그러므로 법은 항상
변화 무궁하고 있다.


**10**

괴롭다는 말을 함부로 말한 인생은
누구나 모든 경험을 겪게 되어 있다.

하지만 고향을 떠나서 45년,
올해 추석날에도 불효자가
부모님의 생사조차 모른다고
실향민은 한숨을 내쉬었다.

해를 담은 그릇이 보이길래
반가운 소식은 오려는가.
그렇지만 무르익는 오곡이나
백과百果가 목적이 아니다.

싸우기 위한 자유가 아니며,
평화를 이루기 위한 자유가 있다.

상常이든지 단斷이든지 모든 의미를
순화하는 마음이 드러난다.


그래서 우리가 모르는 것을 알기
시작한 날,
바다에서 연어들은 냇물을 거슬러
올라가 고향으로 돌아온다.



**11**

시가 그 시인을 좋아하지는 않아서
그 시인은 물끄러미 시를 보았다.


시가 많은 독자에게 기대를 걸었지만
시를 거들떠보는 독자가 좀체 없었다.


그 시인이 시에게 말을 걸어도
일체 대답은 없었다.
다시 말을 더 걸기 전에
말은 나름대로 침묵에 귀를 기울였다.

그렇기 때문에

침묵의 표정은 중생 행원行願으로서 떠올라

따라서 말은 침묵을 읽어내기 시작했다.


**12**

산성비가 내리어서 우산을 받치고

젊은 선생이 학교에 다녀왔다.

대기 오염이 심각하기 때문에

외계인은 지구에 오기 싫었다.


신문을 읽기가 무섭지만,

시인들이 어머님을 주제로 썼던 많은 시,

그 시를 읽은 한 독자가 합장合掌했다.


간절히 알고 싶을 만큼

생각은 미지未知를 가능으로 바꾸었다.

시가 필요하기 때문에

시인들이 시를 쓰는가 보다.


대자와 대비를 믿고

대자대비가 비로소

이루어지기 시작했다.

편집자 주

- 가릉빈가 —— 불교에서 극락 정토에 살고 있다는 새.
- 겸재 —— 정선鄭敾의 호. 조선 후기의 화가. 조선 산수화의 독자적 특징을 살린 산수사생山水寫生의 진경화眞景畫를 그렸다. 여행을 즐겨 금강산 등 전국의 명승을 찾아다니면서 그림을 그렸으며,「여산폭포도」,「여산초당도」,「인왕제색도」 등으로 유명하다.
- 고운 —— 신라의 대학자 최치원崔致遠의 호. 학문이 깊고 문장이 뛰어나 당시의 격문, 표장表狀, 서계書啓는 모두 그의 손으로 지어졌으며 특히『토황소격문討黃巢檄文』은 명문으로 알려져 있다. 여러 벼슬을 거쳤으나 이후 난세를 비관하며 각지를 유랑하다가 생을 마쳤다. 글씨를 잘 썼으며 그가 쓴『난랑비서문鸞郞碑序文』은 신라 시대의 화랑도를 설명하는 귀중한 자료이다.
- 다산 —— 정약용丁若鏞의 호. 조선 시대 실학자로, 그의 학문 체계는 사상적으로 유형원柳馨遠과 이익李瀷의 주류를 계승하였다.
- 단주 —— 54개 이내로 구슬을 꿰어 짧게 만든 염주.
- 담징 —— 고구려의 승려 · 화가로 오경五經과 채화彩畫에 능했다. 일본 호류지法隆寺에 그린「금당벽화」는 중국의「윈깡 석불雲崗石佛」 및 경주 석굴암과 함께 동양의 3대 미술품으로 알려져 있다.
- 마고 —— 중국의 전설에 나오는 늙은 선녀. 노파를 달리 이르는 말.
- 마하선실 —— 금강산 어느 사원의 방실 당명方室堂名인 듯.
- 만파식적 —— 신라 때의 전설상의 피리. 이것을 불면 온갖 소원이 성취되므로 국보로 삼았다고 한다.
- 문수 —— 문수보살의 준말.
- 방촌 —— 황희黃喜의 호. 고려 · 조선 시대의 문신으로 세종 때 영의정으로 18년간 재임하였다.

- 법륭사 —— 담징이 「금당벽화」를 그린 일본의 호류지法隆寺.
- 보주 —— 불탑의 구륜 위에 얹는 꼭대기 장식.
- 불이문 —— 불이법문不二法門을 뜻하는 듯함. 팔만 사천 법문 중에서 제일 의제義諦를 이름.
- 삼매 —— 산스크리트 어 네 마디의 음역. 마음을 한곳에 모아 움직이지 않기 때문에 정定으로, 또 마음을 평정하게 유지하기 때문에 등지等持로 의역하기도 한다. 또한 심일경성心一境性이라 하여, 마음을 하나의 대상에 집중하는 정신력을 말한다.
- 상륜 —— 불탑의 수연水煙 바로 아래에 있는, 청동으로 만든 아홉 층의 둥근 테.
- 성재 —— 이동휘李東輝의 호. 독립 운동가. 안창호 등과 신민회를 조직하여 개화 운동과 항일 운동을 했으며 상해 임시 정부에도 참여하여 1919년 군무총장, 1920년 국무총리를 지냈다.
- 솔거 —— 신라 진흥왕 때의 화가. 어려서부터 그림을 잘 그려, 진흥왕 때 황룡사皇龍寺의 벽에 그린 「노송도」에 새들이 앉으려다가 부딪혀 떨어졌다고 한다.
- 우륵 —— 신라 시대의 악사樂師. 가야금을 만들고 이 악기의 연주곡으로 지명에서 얻은 악상을 따서 12곡을 지었다.
- 유일물어차, 선천지이무기시 —— 여기 한 물건이 있는데 하늘과 땅보다 먼저여서 그 시초가 없다.
- 운경 —— (1757~1817) 중국 청나라 문인. 호는 간당簡堂. 양호파陽湖波 고문의 시조라고 불리며 『사기史記』의 문체를 모범으로 삼은, 기성氣性이 평안한 고문을 제창했다.
- 운행우시 —— 『주역周易』 건괘乾卦 단사彖辭 "운행우시雲行雨施 품물류형品物流形" 구름이 떠다니고 비가 내려 만물이 형체를 갖춘다. 만물에 은택을 베푼다는 뜻.
- 행운시우 —— 구름을 떠다니게 하여 비를 내리게 한다. 만물에 은택을 베풀게 한다.
- 운행우시, 행운시우 —— 또 이 말은 "운우지정雲雨之情"으로 남녀간

의 교정交情을 암시하기도 한다.

- 이상 —— 시인 · 소설가. 본명은 김해경金海卿이고, 보성고보를 거쳐 경성고등공업학교 건축과를 졸업했다. 시 「오감도」, 소설 「날개」가 등의 작품이 있다.

- 처용 —— 신라 시대의 기인. 어느 날 자기 아내가 역신疫神과 동침하는 것을 발견했으나 화를 내지 않고 「처용가」를 부름으로써 역신의 마음을 뉘우치게 했다.

- 추사 —— 김정희金正喜의 호. 조선 시대의 서화가. 문신, 문인, 금석학자로 『완당집』, 『실사구시설』, 『금석과안록』 등의 저서와 작품으로 「묵죽도」, 「묵란도」 등이 있다.

- 퇴계 —— 이황李滉의 호. 조선 시대 학자, 문신. 주자학을 집대성한 대유학자로 이이와 함께 유학계의 쌍벽을 이루었다.

- 혜초 —— 신라 시대 승려. 723년 당나라 광주에 가서 인도승 금강지金剛智의 제자가 되고, 그의 권유로 인도 성적聖跡을 순례하였다. 『왕오천축국전』으로 유명하다.

- 호계 —— 박세증朴世拯의 호. 조선 시대 문신. 송시열과 친척간으로 그의 영향을 많이 받았다. 첨지중추부사僉知中樞府事의 자리에까지 올랐다.

- 호봉 대사 —— 조선 승려. 법명은 응규應奎이고 호봉은 법호이다. 경기도 광주 봉은사에 거주하며 사경과 경전 간행에 공헌했다. 조선 고종 7년(1870)에 호남 표충사 총섭을 지낸 인물로서 문장과 글씨가 뛰어나고 재능과 덕망을 아울러 갖추었다. 직접 『화엄경』 1부(80권)를 베껴 쓴 뒤 인쇄 간행하는 한편, 경판을 제작하여 판전에 봉안했다.

- 화락유실 월거무흔 —— 꽃은 떨어져도 열매가 있는데, 달은 가버리면 흔적이 없다.

- 후천지이, 무기종 —— 하늘과 땅보다 후여서 그 끝이 없다. 불가佛家 용어인 듯.

# 한 문학 작품의 도道는 세월이 판단해줄 것이다

김홍근 | 시인 · 문학 평론가

# 한 문학 작품의 도는 세월이 판단해줄 것이다

김구용의 모든 시에는 제목이 없다. 그저 시詩일 뿐이다. 마치 모든 사물이 원래는 이름이 없듯이. 그 시가 세상에 나왔을 때, 다른 것들과 구분하기 위하여 마지못해 시우詩友 천상병이 지어준 것이 '곡曲', '송頌', '거居'이고 그 3부작을 묶어 '아리랑'이라고 불렀다. 모두 넓은 의미에서 '노래'라는 뜻이다. 이 본격적인 3부작이 나오기 이전의 시를 모은 그의 첫 시집도, 같은 맥락에서, 제목이 '시詩'였다.

그는 제목에서 구속을 받기 싫어서 제목 없이 시를 써왔다. 시가 제목의 해석이 되면 안 된다는 것이다. 그저 자유롭게 속에서 우러나오는 흐름대로 따라가고 싶고, 그러자면 방향을 고착시키는 제목은 거추장스러운 것이었다. 그는 자의에 의해서건 타의에 의해서건 간에 주제나 제목이 주어진 시를 쓰면 엄청난 스트레스에 시달린다고 한다. 도무지 내키지 않는다는 것이다. 그저 쓰고 싶을 때만 쓰겠다는 것이다. 그렇게 그는 평생 '최선의 말'을 기다리고 골라왔다. 자유롭게 자기 글만 쓰겠다는 뜻이었다. 그래서 지금까지 그의 시집에는 작가의 글이나 비평가의 평문이 실려본 적이 없다. 시인의 자유가 소중한 것처럼 독자의 자유도 구속되어서는 안 되기 때문이다. 따라서 이 글은 참으로 외람되기 그지없다.

선가禪家의 보전寶典인 『무문관無門關』은 '문 없는 문' 이라는 뜻이고, 그것이 상징하는 바는 문조차도 없는 난관을 뚫고 나가야 선禪에서 지향하는 본래 면목本來面目을 대면할 수 있다는 것이다. 무제無題 시詩도 이와 같은 맥락이라고 볼 수 있다. 즉 '시 없는 시', '글 없는 글' 이라는 뜻이다. 김구용은 왜 이런 무제 시만 썼는가?

무문無門은 문이 없다는 뜻이지만, 뒤집어보면 무無가 바로 문이라는 뜻도 된다. 동양의 전통에서 무는 단순히 없는 것이 아니라 '묘妙하게 있음' 을 의미한다. 그것은 유有로는 포착되지 않는, '보이지 않는 바깥' 을 겨냥한다. 있지만 표현하기가 어렵기에 차라리 역설적으로 없다고 하는 것이다. 시도, 진정한 의미에서의 시라면, 그런 세계에 속하지 않을까. 무제 시는 '제목 없는 시' 라기보다 '묘한 시', 즉 '진정한 시' 를 겨냥한 것이다. 그가 노래하고자 했던 것이 바로 그 '말로 표현하기 미묘한 진정한 시의 세계' 였고, 시를 쓰는 행위가 철저하게 무문을 열어제치는 행위가 되기를 의도했던 것이다.

그의 시작詩作 방법은 언제나 자신을 백지 상태로 비워놓고 말이 떠오르기를 기다리는 것이었다. 그가 젊은 시절의 독서에서 '말의 빛남' 으로부터 받은 감동으로 문학을 시작했던 것처럼, 긴 사유와 직관과 침잠과 기다림과 여과를 통해 영롱한 말 한마디를 얻는 것이 평생 그의 염원이었다. 항상 자유롭기를 원했던 그가 디디고 선 입지立地는 늘 무, 즉 시의 본령 자체였다.

그는 일찍 그 무의 세계를 엿보았던 것 같다. 1922년 경북 상주의 부유한 집안에서 태어난 그는 허약한 몸으로 '집에 있으면 죽는다'는 점쟁이의 말에 따라 유모의 손에 이끌려 4세 때 금강산 마하연으로 들어갔다. 금강산에서 보낸 5년간의 유년 시절을 통해 산사山寺의 종소리와 독경소리, 숨막힐 듯이 아름다운 천하의 절경에서 묻어나는 바람소리와 물소리가 그의 핏속에 스며들어갔다. 그는 20세에 일제하의 징용을 피해 다시 계룡산 동학사에 들어가 이후 12년간을 산속에서 보낸다.

젊고 예민한 영혼이 어지러운 전쟁통에 산사의 적막에 묻혀 불안과 고독을 속으로 삭이며 그 긴 세월 동안 혼자서 존재의 무게를 지탱하느라고 얼마나 애썼을까. 하지만 그의 곁엔 동학사 강원講院의 무진장한 불서佛書와 직접 가지고 들어간 상당량의 동서양 문학서가 있었다. 아마도 스펀지에 물이 스미듯 그의 고독한 영혼은 그 책 속의 세계로 깊이 깊이 침잠했을 것이다.

자아의 깊은 내면으로의 자맥질에서 그가 맞닥뜨린 것은 무엇일까? 이때의 다독多讀과 습작習作을 통해 그가 본격적인 시인의 길로 접어든 것으로 미루어, 그는 존재로 들어가는 무 문관을 문학적 경험에서 발견한 것 같다. 그는 시인으로서의 자신의 사명을 자각했던 것이다. 그것은 무엇보다도 시에게 정직하자는 것이었다. 그리고 그 방법론은 시를 쓰는 것 자체

보다 스스로의 삶을 시로 만드는 것이었다. 삶을 반영한 시詩보다는 시를 체화體化한 삶. 그래서 그는 자신의 시가 세상에서 당장 인정받기를 기대하지 않았다. 그는 '한 문학 작품의 도는 세월이 판단해줄 것'으로 굳게 믿고 기다리는 쪽을 택했다. 나아가 만일 당대에 이루지 못하고 가면 후일 언젠가 자신의 도를 뒷사람이 실현해줄 것이라고 생각했다. 그는 순수한 시인으로서 세례를 받고, 그 고독한 혈통을 이어나갈 결심을 한 것이다.

그는 종종 술자리 같은 곳에서 후배들에게 뒷일을 부탁한다는 말을 하곤 했다. 그러나 그는 시란 '만들어내는' 것이 아니라, 먼저 '살아내는' 것이란 사실을 누구보다도 더 잘 알고 있었다. 그에게 중요한 것은 정직한 삶을 실천함으로써 시다운 시가 우러나오도록 기다리는 것이지, 세상에 영합하는 달고 아름다운 시를 쓰는 것이 아니었다. 미사여구가 나오면 오히려 지워버리고 다시 썼다. "술도 달면 못써요. 쓴 술이 진짜 술이오."

그는 자신이 무문을 열어제치고 엿본 현묘玄妙한 세계를 어렸을 때 부친에게서 들은 이야기를 통해 이렇게 노래한다.

노대감은 거금을 문인에게 주고
동지사 수행원으로 딸려 보냈다.


북경에 당도한 문인이

찾아가서 그림을 부탁했더니
화가는 거금만 받고
내년에나 오라는 대답이었다.

다음 해에도 문인은 수행원으로서
갔는데 화가는 한 짝 눈이 멀어
있었다. 아직 다 그리지 못했으니
내년에나 다시 오라는 대답이었다.

삼 년 만에도 문인은 수행원으로서
갔는데 애꾸눈이 화가는
홍두깨만한 포장을 내주며
잘 가라는 말도 않았다.

귀국한 문인이 노대감 방에서 포장을
다 벗기자 족자 하나가 나왔다.
걸어놓고 보니 그럴 수가 있을까.
닫혀진 두 문짝만이었다.

어느 날 노대감은 바라보다가
화가 나서 그림을 담뱃대로
내리쳤다. 그랬더니
두 문짝이 활짝 열렸다.

문으로 들어가 보았다.
거기서부터 선경이었다. 들리어오는
거문고소리를 따라갔더니
당에서 미인이 시녀들을 거느리고

내려와 노대감을 맞아 모셨다.
"기다렸나이다. 주찬을 마련했어요."
노대감은 가무를 즐기다가 황혼에야
돌아와서 두 문짝을 닫았다.

노대감이 입궐한 가을날이었다.
안방 노마님이 노대감의 방에 와
닫혀진 두 문짝을 흘겨보다가
거금만이 생각나서 아랫것들을 시켜

그림을 활활 불태워버렸다.
전에 없이 적막한 노대감은
다시 문인을 불러 거금을 주고,
동지사 수행원으로 딸려 보냈다.

문인이 북경에 당도하여
찾아가 본즉 화가는 두 눈이
멀어 있었다. (「2거二居」, 3에서)

이 구절을 읽으면서 두 눈이 뜨거워졌다. 처음엔 노대감 같은 입장이었겠지만, 지금은 그림 속 미인처럼 주찬酒饌을 차려 놓고 이제나저제나 올까 하고 하염없이 기다리고 있을, 팔십 고개를 지척에 두고 병상에 누워 있는 구용 시인이 생각났기 때문이다. 그는 지금까지 몇 명이나 만나봤을까? 과연 몇 명에게 그의 시가 온전히 받아들여졌을까? 시란 일단 써놓으면 작가의 손을 떠나 세상에 던져진다 하지만, 그래도 산정山頂에서 외친 소리는 메아리가 되어 돌아오는 법이다. 우리는 과연 노대감인가, 아니면 거금만이 생각나서 그림을 태워버린 노마님인가?

문제는 열리지 않는 두 문짝을 어떻게 열어제칠까, '담뱃대로 내리치는 법'을 어떻게 알아낼 것인가 하는 것이다. 노대감이 그랬던 것처럼, 바라보고 또 바라보다가 화가 나서 내리칠 정도로 시인의 시를 읽어보는 것, 그 외 다른 방도가 있을까? 그러려면 일생을 통해 시를 체현한 시인의 진심을 턱 믿고, 나도 그만큼 절실히 읽고 또 읽어야 할 것이다. 김구용이 추사秋史의 글씨나 다른 옛 선인들의 그림을 애써 모아 서재에 두고 오래 보아온 것도 모두 시를 만나기 위한 것임을, 그 두 문짝을 후려치기 위한 선기禪機를 얻기 위한 것임을 알 수 있다.

김구용의 시를 읽으면 『벽암록』 27장의 말이 생각난다. 하루는 제자가 운문雲門에게 물었다. "나무가 시들고 잎이 떨어지면 어떻게 될까요樹凋葉落時如何?" 스승이 대답하기를, "가을 바람에 몸이 그대로 드러나겠지體露金風." 무성한 잎사귀는다 벗어버리고 서리를 몰고 오는 차가운 바람 앞에 의연히 서 있는 나목裸木같이 그의 시에는 군더더기가 없다. 그러나 떠날 것 다 떠나 보내고 더욱 풍성해진 가을 들판처럼 그의 시어詩語 하나하나는 영롱히 빛난다. 독좌대웅봉獨坐大雄峯하고 있는 시의 본체.

김구용의 시는 한 번 읽어서 이해되는 그런 시가 아니다. 그의 시는 대부분이 무제의 연작시로 호흡이 매우 긴 장시長詩이다. 『열국지』와 『삼국지』 등 그가 번역한 중국의 고전도 모두 장편들이다. 하지만 사행시로 된 그 시의 한 연 한 연은 모두 현실과의 직대면直對面에서 입은 상처를 통해 흘러나온 선홍색 핏방울이다. 시인의 마음에 비친 '지금 여기'의 진풍경. 언제나 새로움을 분출하는 시간이라는 샘에서 길어 올린 청정수淸淨水. 아류亞流에 대한 반감으로 항상 '안티포임[反詩]'을 지향하는 고집 주머니. 언제나 결론에서 출발하기에 설명을 거부하는, 연대蓮台처럼 중통외직中通外直한 언어의 정자亭子……

파닥파닥! 자루 속의 등 푸른 날생선이 푸드득거린다. 시집 속에 갇힌 언어들이 책장을 펴자마자 불끈 불끈 일어서는 것만 같다. 그의 시어詩語는 시어詩魚 같다. 번잡한 일상의 산문을 읽다가 그 구질구질함에 잠시 구차해질 때, 이 책을 펴들면 정갈한 언어마다 힘이 넘쳐 정신이 번쩍 드는 것 같다. 빰을 싸! 하게 때리고 스쳐 지나가는, 마치 얼음 알갱이를 씹는 듯한 차가운 새벽 바람에 영혼이 깨어나는 듯한 느낌. 하얗게 서리 내린 언덕 위 동녘 하늘 능선 너머에 찬연히 빛나고 있는 샛별.

그렇게 반짝이는 말 하나하나. 차가운 바람 앞에 꺼지기는커녕 더욱 명징明澄해지는 새벽별. 김구용의 시상詩想은 시상詩霜이다.

　그렇다. 시인이 청년 시절 동서양의 수많은 책을 싸들고 산방山房에서 칩거하며 고독하고 준엄한 문학의 오지奧地를 탐험하는 동안, 한동안 발레리라는 거봉巨峰 주위를 서성였다는 것이 우연이 아니다. 김구용은 발레리를 거쳐 내려오는 근대 시의 도통道統을 잇고 있는 것이다.

　18세기 영국과 독일의 낭만주의가 19세기 프랑스 상징주의를 거치면서 형성된 근대 시의 커다란 흐름은 프랑스의 두 거장에 의해 두 줄기로 나뉘어 20세기를 굽이굽이 흘러 내려왔다. 하나는 '랭보'라는 시천詩泉에 연원淵源을 두고 초현실주의를 관통하여 도도히 흘러 내려온, 태양처럼 뜨겁고 폭발적인 이미지의 분출이다. 다른 하나는 '말라르메'라는 공경空鏡에 기원하여 '발레리'를 거쳐 근대 시의 창공을 적조寂照해온, 달처럼 차갑고 이지적인 지성 시의 흐름이다. 김구용의 시는, 굳이 그 서 있는 자리를 정해본다면, 후자 전통의 당당한 적자嫡子인 것으로 보인다.

　따라서 그의 시는 잘 벼린 보석 같고, 달빛 영롱한 이슬 같다. 물론 금강석 같은 시어에서 뻗어 나오는 광채는 바로크적인 프랑스풍 무늬가 아니라, 단아한 선미禪味를 머금고 미묘한 곡선을 이루는 난蘭 잎처럼 우아한 동양적 빛깔을 띤다. 스스로 빛나면서도 생명으로 가득 차 꿈틀거리는 다이아몬드. 누가 김구용의 시를 추상抽象이라고 하는가. 구상具象, 아니 물질 그 자체처럼 구체적인 이 언어들을. 돌이나 쇠, 금보다 더 오래 살아남을 이 언어의 성채城砦를.

노대감의 그림은 그만 불태워져 영원히 사라져갔지만, 다행히도 김구용의 시는 이처럼 전집으로 묶여서 우리 앞에 찬란히 부활하였다. 그 속으로 들어가는 일은 이제 독자의 몫이다. 솔직히 말해 그의 시를 읽으며 나도 '담뱃대'를 찾지 못하고 가장자리를 마냥 겉돌기만 하였다. 지금같이 모든 것이 광속光速으로 흘러가는 시대에, 은산 철벽銀山鐵壁 뒤에 숨어 있는 것 같은 구용 시의 진경眞景을 엿보려면 얼마나 많은 시간을 '그림 앞에서 노려보아야' 할지 적이 걱정된다. 그래도 시인 자신이 그 시를 쓰기까지 기다리고 또 기다렸던 시간에 비하면 아무것도 아닐 것이다. 시인의 인내에 비하면 독자의 인내는 얼마나 무력한 것인가. 문제는 나 자신이 얼마나 '절실한가' 이다. 그림 속 미녀를 만나기 위해 무의미하게 흘러가는 일상의 흐름을 거슬러 올라갈 용기가 있는가 하고 김구용의 시는 우리에게 묻고 있다.

평소 시인은 이런 말을 자주 했다. "사회적 복록福祿이 많은 사람은 문학 못한다. 끝까지 남는 사람은 복 없는 사람이다." 아마 '사회적 복록'이 많은 사람은 이 책을 끝까지 읽지 못할 것이다. 그러나 우리의 삶 속에 숨겨져 있는 미인을 한 번이라도 만나기를 간구하는 사람은 시인의 애절한 마음을 이해할 것이다. 그리고 그가 남긴 이 언어의 향연에 기꺼이 참여할 것이다. "재주는 없지만 살아 숨쉬는 영혼을 지닌 사람이 하는 것이 문학"이라고 믿고 묵묵히 그 길을 걸어온 시인은 오늘도 백지白紙의 이면에 다소곳이 앉아 무문을 뚫고 들어올 지기知己를 기다리고 있다.

# 연보

| | |
|---|---|
| **1922. 2. 5.(음력)** | 경상북도 상주군尙州群 모동면牟東面 수봉리壽峰里에서 부父 김창석金昌錫, 모母 이병李炳의 6남 1녀 중 4남으로 출생. |
| **1925** | 몸이 허약한 구용은 철원군 월정 역에서 멀지 않은 어느 마을에서 유모 싸마와 그 해 겨울을 보낸다. 싸마는 일찍이 그의 탯줄을 잘라낸 안노인이다. |
| **1926~1930** | 금강산 마하연에서 싸마와 함께 불보살님께 지심정례至心頂禮를 드리기 시작하다. |
| **1931** | 경남 대구 복명보통학교에 입학. 그 해 다시 철원군 보개산 심원사 지장암에서 병 치료를 위해 요양하다. |
| **1932** | 서울 창신보통학교에 2학년으로 전학, 5학년까지 수학. |
| **1936** | 수원 신풍보통학교 6학년으로 전학. |
| **1937** | 서울 보성고등보통학교에 입학. |
| **1938** | 금강산 마하연에서 다시 병 치료를 위해 요양. |
| **1939** | 충남 공주公州 집에서 부친 세상 떠나다. |
| **1940~1962** | 부친 대상大喪을 마치고 공주군 동학사東鶴寺에서 일제 시대의 징병, 징용을 피해 은둔, 독서와 습작을 계속하다. 이후 동학사에 수시로 기거하면서 경전 및 수많은 동서 고전을 섭렵하고, 시작詩作에 깊은 관심을 보였으며, 한편으론 동양 고전 번역에 관심을 갖게 되다. |
| **1949** | 『신천지新天地』에 시「산중야山中夜」,「백탑송白 |

| | |
|---|---|
| | 塔頌」 발표. 성균관대학교 입학. |
| 1950 | 6 · 25 발발, 전쟁의 와중에 비명횡사를 면하고 구사일생하였으나 천애 고아가 되다. 시인의 '부산 시절'이 시작되다. |
| 1951 | 부산에서 『사랑의 세계』지 기자. |
| 1952~1954 | 부산 상명여자중고등학교 교사. |
| 1953 | 성균관대학교 국문과 졸업. |
| 1955~1956 | 『현대 문학』지 기자. 육군사관학교 시간 강사. 현대 문학 신인 문학상 수상. |
| 1956~1987 | 성균관대학교 문과대학 강사, 조교수, 부교수, 교수 역임. |
| 1956~1973 | 서라벌예술대학교 강사. |
| 1957~1958 | 건국대학교 강사. |
| 1958~1959 | 숙명여자대학교 강사. |
| 1958~1961 | 숙명여자중고등학교 강사. |
| 1960 | 능성綾城 구具씨와 결혼. |
| 1960~1961 | 성균관대학교 성대신문 주간. |
| 1962 | 동학東鶴 산방山房을 떠나 책들과 짐을 서울 성북동 집으로 옮기다. |
| 1987 | 성균관대학교 정년 퇴임. |

## 저서

| | |
|---|---|
| 1969 | 시집 『시집詩集 · I』 삼애사三愛社 |
| 1976 | 시집 『시詩』 조광출판사朝光出版社 |
| 1978 | 장시 『구곡九曲』 어문각語文閣 |
| 1982 | 연작시 『송頌 백팔百八』 정법문화사正法文化社 |

# 번역서

| | |
|---|---|
| **1955** | 『채근담採根譚』정음사正音社 |
| **1957** | 『옥루몽玉樓夢』정음사正音社 |
| **1974** | 『삼국지三國志』일조각一潮閣 |
| **1979** | 『노자老子』정음사正音社 |
| **1981** | 『수호전水滸傳』삼덕문화사三德出版社 |
| **1995** | 『열국지列國志』민음사民音社 |

김구용

1922년 생. 시인이자 한문학자.
육군사관학교 강사, 서라벌예술대학 강사, 건국대학교 강사, 숙명여대 강
사를 지냈으며 1956년부터 1987년 정년 퇴임할 때까지 성균관대학교 교
수로 재직했다. 저서로는 『송 백팔』(1982), 『구곡』(1978), 『시』(1976), 『시
집1』(1969), 역서로는 『(동주) 열국지』(1990, 1995), 『삼국지』(1981), 『수
호전』(1981), 『노자』(1979), 『(완역) 열국지』(1964), 『옥루몽』(1956,
1966), 『채근담』(1955)과 편서 『구운몽』(1962)이 있으며, 일기 형식으로
기록한 다수의 수필이 있다.

김구용 문학 전집 4──구거

1판 1쇄 2000년 6월 5일
지은이 ── 김구용
펴낸이 ── 임양묵
펴낸곳 ── 솔출판사
책임 편집자 ── 임우기
부편집자 ── 김소원
북디자인 ── 안지미
제작 ── 장은성
인쇄 ── 제형문화사
제본 ── 성문제책사

서울시 마포구 서교동 342-8
전화 332-1526~8 팩스 332-1529
출판 등록 1990년 9월 15일 제10-420호
ⓒ 김구용, 2000
ISBN 89-8133-356-4 04810(세트)      89-8133-360-2 04810

*저자와 협의하여 인지를 붙이지 않습니다.